Über dieses Buch Die *Drei Abhandlungen zur Sexualtheorie* (1905) gelten, neben der *Traumdeutung*, als Freuds originellster Beitrag zum Verständnis der Conditio humana. Die in diesem Buch eingeführte Erweiterung des Begriffs der Sexualität, die Relativierung der Grenzen zwischen normaler und perverser Sexualentwicklung sowie die Entdeckung sexueller Impulse beim Kinde haben Freud und die Psychoanalyse zwar zunächst in Verruf gebracht, bald aber das Menschenbild des zwanzigsten Jahrhunderts revolutioniert.

In der Einleitung zur vorliegenden Ausgabe würdigt der Psychoanalytiker und Sexualwissenschaftler Reimut Reiche den Ausnahmerang dieses klassischen Texts und analysiert die seit seinem Erscheinen erreichten Wissenserweiterungen in der Psychoanalyse wie in den Nachbardisziplinen. Dabei wird deutlich, in welchen Zügen die *Drei Abhandlungen* hochaktuell geblieben und in welchen sie durch das, was sie in Gang gesetzt haben, inzwischen selbst überholt worden sind.

Der Autor Sigmund Freud, geboren 1856 in Freiberg (Mähren); Gymnasialzeit in Wien; Studium an der Wiener medizinischen Fakultät; Promotion 1881, Habilitation 1885; 1885/86 Studienaufenthalt in Paris, unter dem Einfluß von J.-M. Charcot Hinwendung des Interesses von der Neuropathologie zur Psychopathologie; danach in der Privatpraxis Beschäftigung mit Hysterie und anderen Neurosenformen; Begründung und Fortentwicklung der Psychoanalyse als eigener Behandlungs- und Forschungsmethode sowie als allgemeiner, auch die Phänomene des normalen Seelenlebens umfassender Psychologie; Ausbreitung und Institutionalisierung der psychoanalytischen Bewegung, Abfall einzelner Schüler, Anfeindung und schließlich weltweite Anerkennung; 1930 Goethe-Preis der Stadt Frankfurt; 1935 Ehrenmitgliedschaft der Royal Society of Medicine; 1902 zum Titularprofessor ernannt, wurde Freud nie auf einen ordentlichen Lehrstuhl berufen; 1938 Emigration nach London, wo er, der Nazi-Verfolgung entkommen, 1939 starb.

Der Verfasser der Einleitung Priv.-Doz. Dr. Reimut Reiche, Psychoanalytiker und Soziologe in Frankfurt a.M., Veröffentlichungen insbesondere zu sexualwissenschaftlichen Themen, darunter *Sexualität und Klassenkampf* (Fischer Taschenbuch Verlag, 1972); *Der gewöhnliche Homosexuelle* (S. Fischer Verlag, 1974); *Geschlechterspannung* (Fischer Taschenbuch Verlag, 1990).

SIGMUND FREUD

Drei Abhandlungen
zur Sexualtheorie

Einleitung
von Reimut Reiche

FISCHER TASCHENBUCH VERLAG

11. – 12. Tausend: September 1994

Veröffentlicht im Fischer Taschenbuch Verlag GmbH,
Frankfurt am Main, Mai 1991

Für diese Ausgabe:
© Fischer Taschenbuch Verlag GmbH, Frankfurt am Main, 1991
Für das ›Vorwort zur zweiten Auflage‹:
Lizenzausgabe der S. Fischer Verlag GmbH, Frankfurt am Main,
© S. Fischer Verlag GmbH, Frankfurt am Main, 1972.
Für die übrigen Texte Sigmund Freuds:
Lizenzausgabe der S. Fischer Verlag GmbH, Frankfurt am Main,
mit Genehmigung von Sigmund Freud Copyrights, Colchester,
Copyright under the Berne Convention, 1942 Imago Publishing Co.,
Ltd., London. All rights reserved
Umschlagentwurf: Buchholz / Hinsch / Hensinger
(unter Verwendung einer Plakette,
die Karl Maria Schwerdtner 1906, ein Jahr nach
Erscheinen der *Drei Abhandlungen zur Sexualtheorie*,
anfertigte; die Rückseite dieser Medaille
– Ödipus vor der Sphinx – ist auf dem Umschlag des
Bandes *Schriften über Liebe und Sexualität*,
Nr. 10441, abgebildet).
Gesamtherstellung: Clausen & Bosse, Leck
Printed in Germany
ISBN 3-596-10440-8

Gedruckt auf chlor- und säurefreiem Papier

INHALT

Anhang

EINLEITUNG

Wer sich die Psychoanalyse lesend und lernend aneignet, wird irgendwann irgendeine Einzelarbeit aus Freuds gewaltigem Werk als ganz besonders wichtige entdecken. Das hat dazu geführt, daß so viele von Freuds grundlegenden Arbeiten als ganz besonders grundlegend bezeichnet worden sind. Die Wichtigkeit, die eine Schrift für uns erhält, ist nicht nur abhängig davon, was wir bewußt wissen wollen, sondern auch davon, was wir unbewußt suchen, ohne den Gegenstand unserer Suche schon genau zu kennen. In der kollektiven Geschichte dieser Suchbewegungen nehmen die *Drei Abhandlungen* eine besondere Stellung ein. Keiner anderen Veröffentlichung ist so sehr die Rolle einer Einführung in das psychoanalytische Wissen und zugleich einer Einführung in die Suche nach Selbstaufklärung zugefallen. Werkgeschichtlich handelt es sich zugleich um die Veröffentlichung, die wie keine andere mit ihrem Bekanntwerden Freud und die Psychoanalyse sogleich in Verruf brachte, ihnen den Ruf des Pansexualismus eintrug, also den Ruf, alles Menschliche auf Sexuelles zurückzuführen, und den Ruf, vor keiner sittlichen Empfindung haltzumachen. Dies wiederum mag damit zusammenhängen, daß das Buch mit den *Drei Abhandlungen* die erste gesonderte Veröffentlichung Freuds ist, die den Begriff der Sexualität im Titel trägt. Damit gelangte dieses Thema aus dem innersten Kreis der psychiatrisch-neurologischen Fachliteratur heraus auf den Ladentisch einer Buchhandlung – und damit an die Öffentlichkeit.

Das Hervortreten der Psychoanalyse als Idee, Überzeugung und Praxis aus ihrer isolierten Existenz allein in Freud hat seine eigene Geschichte. An einer Stelle der *Drei Abhandlungen* bemerkt Freud lapidar, daß er schon seit fünfundzwanzig Jahren »Psychoanalysen hysterischer und anderer Nervöser« praktiziere (unten, S. 66). Er war zu diesem Zeitpunkt fast fünfzig Jahre alt. Tatsächlich war er viele Jahre lang ganz allein auf sich gestellt gewesen, isoliert vom etablierten medizinischen Wissenschaftsbetrieb, nur in meist brieflichem Kontakt mit zwei wissenschaftlichen Freunden, mit denen es nacheinander zum Bruch kam – und zwar beide Male gerade dann, als seine Ideen und Experimente eine kritische Schwelle erreichten, über die ihm diese Freunde, erst Josef Breuer und dann Wilhelm Fließ, nicht mehr folgen konnten. 1905, als die *Drei Abhandlungen* erschienen, stand die Psychoanalyse als Wissenschaft wie als Behandlungsmethode immer noch am Anfang: es war überhaupt noch kein stabiler Kreis von Kolleginnen und Kollegen gebildet, die sich mit den Prinzipien der entstehenden neuen Wissenschaft und ihrer revolutionären Methode bereits so sehr vertraut gemacht hätten, daß die junge Psychoanalyse eine Existenz und Identität außerhalb ihres Begründers hätte haben können. All das mußte sich erst noch herausbilden.

Als Zeitpunkt des Heraustretens Freuds aus seiner zugleich erzwungenen und selbstgewählten Isolation wird oft das Jahr 1901, das Jahr nach dem Erscheinen seiner *Traumdeutung* (1900) genannt. In welch langen Zeiträumen Freud dachte, ausharrte, Ideen reifen ließ, wird deutlich in drei Briefen Freuds an seinen Freund Wilhelm Fließ, aus denen hier einige Stellen zitiert seien. Ein Brief vom 11. Oktober 1899, also kurz vor dem Erscheinen der *Traumdeutung* verfaßt, beginnt mit dem denkwürdigen Satz: »Es arbeitet merkwürdigerweise im untersten Stockwerk. Eine Sexualtheorie dürfte die nächste Nachfolgerin des Traumbuches werden.« Dazu malt er ein schematisches dreistöckiges Haus auf, in dessen unterstem Stockwerk eine »Sexualität. Organisch«, darüber eine »Hysterie – Klinisch« und darüber dann schließlich ein »Psychischer Apparat. ψ« wohnen. Ein Vierteljahr später, am 8.1.1900, schreibt er: »Ich suche also nur Ruhe und etwas materielles Behagen. Ich arbeite nichts, und es ist still in mir. Kommt die Sexualtheorie, so werde ich sie anhören. Wenn nicht, dann nicht.« Und schließlich am 26.1.1900: »Zur Sexualtheorie wird gesammelt und gewartet, bis das aufgehäufte Material durch einen zündenden Funken in Brand gesteckt werden kann.«[1] Es sollte noch weitere fünf Jahre dauern,

---

1 S. Freud, *Briefe an Wilhelm Fließ 1887–1904*; Ungekürzte Ausgabe, hrsg. von J. M. Masson, Bearb. der deutschen Fassung von M. Schröter, Transkr. von G. Fichtner, S. Fischer Verlag, Frankfurt am Main 1986, S. 416, 434, 436.

bis der zündende Funke alle alten Vorstellungen und Denkgewohn-
heiten über die Sexualität in Brand stecken würde. Tatsächlich enthalten die *Drei Abhandlungen*, besonders wenn man sie gegen die
Folie ihrer Entstehungszeit betrachtet, derart viele Zündfunken,
daß deren bloße Aufzählung den Rahmen einer Einleitung sprengen
würde. Viele Gedanken und begriffliche Verdichtungen, die uns
heute ganz selbstverständlich geworden sind – und zwar nicht nur
selbstverständlich *innerhalb* des psychoanalytischen Diskurses –,
sind hier zum ersten Mal formuliert.

Und doch könnte Freud *einen* Funken ganz besonders im Auge gehabt haben, den, der dann jahrzehntelang immer aufs neue die Gemüter erregte und der heute so sehr Bestandteil des Alltagswissens
geworden ist, daß wir uns seine einstmalige polarisierende Funktion
– »für« oder »gegen« die Psychoanalyse – kaum mehr vorstellen
können: den Funken, den Freud »die infantile Sexualität« nennt.
Werkgeschichtlich ist nämlich interessant, daß Freud zwar schon
sehr früh (1896) auf »eine *sexuelle*, mit Lust ausgeführte Aktion der
Kinderzeit« gestoßen war[2], aber lange Zeit gezögert hat, von einer
kindlichen Sexua*lität* als etwas psychobiologisch Allgemeingülti-
gem zu sprechen. Noch in den ersten beiden Auflagen der *Traumdeutung* (1900 und 1909) vertrat Freud die konventionelle Auffassung, daß »wir die Kindheit glücklich preisen, weil sie die sexuelle
Begierde noch nicht kennt«[3]. Vieles spricht dafür, daß die Sexualtheorie erst »kommen« durfte, als Freud durch fortgesetzte
Selbstanalyse fähig geworden war, auch in diesem Punkt mit der
Konvention zu brechen.

Zwar beginnen die *Drei Abhandlungen* scheinbar ganz konventionell: mit einer Gegenüberstellung von »normaler« und »abweichen-
der« Sexualität – aber nur, um alsbald alle vorgefundenen Lehren
über die Psychopathia sexualis zu verneinen und um die Homosexualität und die Perversionen in einen sachlichen Erkenntniszusam-
menhang und in eine Ergänzungsreihe mit den Neurosen und der

---

2 S. Freud, ›Weitere Bemerkungen über die Abwehr-Neuropsychosen‹, in:
ders., *Gesammelte Werke*, Bd. 1, London 1952, S. 386.
3 S. Freud, *Die Traumdeutung*, in: ders., *Gesammelte Werke*, Bd. 2/3, London
1942, S. 136.

9

»Normalität« zu stellen. Wie revolutionär dies war, wird klar, wenn man weiß, daß das ganze 19. Jahrhundert psychiatrisch beherrscht war von der Vermessung und Aussonderung alles Abweichenden. In diesem Zug wurde ein eigenes psychiatrisches Gebiet geschaffen, eben die Psychopathia sexualis, Vorläuferin der modernen Sexualwissenschaft. Michel Foucault hat in seiner großen Studie über *Sexualität und Wahrheit*[4] herausgearbeitet, wie die Perversionen im 19. Jahrhundert gleichsam dadurch erst »entstanden«, daß sie zum Gegenstand des wissenschaftlichen Diskurses wurden. Wissenschaftliche Abhandlungen über das Sexuelle waren gegen Ende des 19. Jahrhunderts kaum anders denkbar denn als *Pathologie* des Sexuellen, als Kabinett der Abirrungen und des Grauens und als Unterweisungsfibeln richtigen Tuns, oder besser: Unterlassens. Freud setzt an dieser vorgefundenen Linie an, aber nur, um sie zu zerstören. Marx vergleichbar beginnt er mit einer Ideologie-Kritik. Er entwickelt sein Programm wie Marx in der *Deutschen Ideologie* negativ: nämlich als Kritik der in seiner Epoche herrschenden Volks- und Lehrmeinungen über das Sexuelle. In einer oft zitierten, den Text verschärfenden Fußnote sagt Freud über das Verhältnis von Homosexualität und – heterosexueller – Normalität: »Die psychoanalytische Forschung widersetzt sich mit aller Entschiedenheit dem Versuche, die Homosexuellen als eine besonders geartete Gruppe von den anderen Menschen abzutrennen. [...] Im Sinne der Psychoanalyse ist also auch das ausschließliche sexuelle Interesse des Mannes für das Weib ein der Aufklärung bedürftiges Problem und keine Selbstverständlichkeit, der eine im Grunde chemische Anziehung zu unterlegen ist.« (S. 48, Anm., unten.) Diese Anmerkung stammt von 1920. Es ist hier darauf hinzuweisen, daß Freud keinen anderen Text im Laufe der Jahre nach dem ersten Erscheinen so viel durch Fußnoten kommentiert hat wie die *Drei Abhandlungen*. Die gesonderte Lektüre der Fußnoten läßt sich zu einem Muster dessen zusammensetzen, was Freud mit sich erweiterndem Wissen als besonders zentral für eine psychoanalytische Sexualtheorie erschien.

---

4 M. Foucault, *Sexualität und Wahrheit*, Bd. 1: *Der Wille zum Wissen*, Suhrkamp Verlag, Frankfurt am Main 1977.

Gleichsam als Kunstgriff wird der »Sexualtrieb bei den Neurotikern« in die Abhandlung über die sexuellen Abirrungen eingeführt. Freud konfrontiert uns hier in einer knappen, prägnanten Formel mit einem Resultat seiner Krankenbehandlungen der zurückliegenden fünfundzwanzig Jahre: »Die Symptome sind [...] die Sexualbetätigung der Kranken.« (S. 66, unten.) Dann findet er zu einer nächsten Formel, die, hier erstmals formuliert, zu einem Leitmotiv aller weiterer Überlegungen und Spekulationen zur Sexualtheorie werden wird und die er bis zuletzt immer wieder aufgreifen und differenzieren wird: »*die Neurose ist sozusagen das Negativ der Perversion*« (unten, S. 68). Beide »Formeln« werden in dieser Einleitung nochmals aufgegriffen und vor dem Hintergrund des aktuellen psychoanalytischen Wissens betrachtet werden. Wenn Neurose und Perversion der unterschiedliche Ausdruck einer gemeinsamen Psychodynamik sind, dann haben sie auch eine gemeinsame Wurzel – die infantile Sexualität.

Jetzt werden die innere Logik und der Aufbau der *Drei Abhandlungen* transparent: Freud schreitet fort von der sichtbaren, schreienden Seite der Sexualität, den Perversionen und neurotischen Symptomen, zum »Unsichtbaren«, zu dem, was im Ausgang des 19. Jahrhunderts gar nicht existent sein durfte: der infantilen Sexualität, die er dann in der zweiten Abhandlung einführt und entfaltet und die fortan einen Grundpfeiler der psychoanalytischen Lehre überhaupt bilden wird. In der dritten Abhandlung, den »Umgestaltungen der Pubertät«, kann er dann einen ersten Ausblick auf das Ganze der menschlichen Sexualität geben, indem er aus den Schnittpunkten von Neurose, Perversion und ursprünglicher Triebanlage die »Anforderung des normalen Sexuallebens« extrapoliert (unten, S. 72). Diese Ausführungen münden wiederum in eine programmatische Formel: »Die Objektfindung ist eigentlich eine Wiederfindung.« (S. 122, unten.)

Das »normale Sexualleben« liefert uns zugleich das Stichwort, um nunmehr einige zentrale Themen und Formulierungen aus den *Drei Abhandlungen* vor der Folie der weiteren Entwicklung psychoanalytischen Denkens und Wissens zu betrachten.

11

Normalität. Das psychoanalytische Denken und die psychoanalytische Methode sind prinzipiell anti-normativ. Wir fragen nicht primär nach Gut und Böse, sondern nach Bedeutungen, also nicht danach, ob voreheliche Enthaltsamkeit oder eheliche Untreue oder Homosexualität oder möglichst frühe Sexualaufklärung oder möglichst späte Sexualaufklärung zu befürworten oder abzulehnen seien, sondern danach, was sie für dies eine Individuum bedeuten (das sich in psychoanalytischer Behandlung befindet) – oder in Anwendung psychoanalytischer Fragestellungen auf die Gesellschaft: was diese Verhaltensweisen für die Gesellschaft bedeuten, in der sie vorkommen. Freud ist von Anfang an bemüht, »das Normale« und die gesellschaftliche Norm nicht einfach zu übernehmen. Immer wieder sagt er nicht einfach »Norm«, sondern »angenommene Norm« (z. B. unten, S. 38), sagt er nicht »das normale Sexualziel ist«, sondern »als normales Sexualziel gilt die Vereinigung der Genitalien in dem als Begattung bezeichneten Akte« (unten, S. 52) – um alsbald auch noch den »normalsten Sexualvorgang« in eine Verbindungslinie mit den Perversionen zu stellen (ibid.).

Gleichwohl kann auch die Psychoanalyse den Fallstricken der Normalität nie ganz entkommen. Diese Fallstricke sind dadurch ausgelegt, daß alle Gesellschaften danach trachten, »das Normale«, was auch immer dies sei, zu normieren, also Normalität und Normativität in eins zu setzen. Dem Begriff *Genitalprimat* oder »Primat der Genitalzone« ist ein solches Schicksal beschieden gewesen. Er wird von Freud in einem Atemzug mit der »Normalität des Geschlechtslebens« gebraucht (unten, S. 108). Dadurch kommt unweigerlich ein normatives Element ins Spiel, das zu großen Mißverständnissen geführt hat. Es wird nämlich oft nicht erkannt, daß mit »Genitalprimat« ebensowenig wie mit »oraler Fixierung« oder irgendeinem anderen Begriff aus der psychosexuellen Phasenlehre ein Verhalten gemeint ist, sondern in erster Linie eine innerpsychische Disposition. Es kann also sehr wohl sein, daß ein Individuum, das im Sinne der psychoanalytischen Diagnostik »oral fixiert« ist, diese Disposition in seinem Verhalten dadurch zu erkennen gibt, daß es eine extrem hohe Koitusfrequenz hat (weil nämlich der Koitus wie eine orale Sucht gehandhabt wird, er also diese *Bedeutung* annimmt).

Wir dürfen also die »Anforderungen des normalen Sexuallebens« nicht auf das sexuelle Verhalten im engeren Sinn einschränken. Leben ist mehr als Verhalten, jedenfalls in der Psychoanalyse. Nicht ohne Grund spannt Freud den Bogen von den biologischen bis zu den gesellschaftlichen oder kulturellen »Anforderungen«. Diese Anforderungen beziehen sich also auf die Fähigkeit, mit einem Menschen des anderen Geschlechts eine – wie es heute heißt – Beziehung einzugehen, die in sich prinzipiell den Bogen von der gemeinsam genossenen sexuellen Lust über das gemeinsam geteilte soziale Leid bis zum gemeinsam gezeugten und aufgezogenen Kind umfaßt. Prinzipiell heißt: diese drei Elemente – sexuelle Lust, soziale Verantwortung (Fähigkeit zur Sorge), biologische Reproduktion – sollen innerpsychisch repräsentiert sein, müssen sich aber keineswegs in irgendeinem besonderen äußeren Verhalten oder Status (Partnerschaft, Ehe, Elternschaft, Mitgliedschaft in Vereinen etc.) niederschlagen. Die Psychoanalyse enthält damit implizit eine *Ethik der Liebe*. Sie kann dem gar nicht entkommen, auch wenn wir uns als Psychoanalytiker dies noch so sehr wünschten und die Ethik lieber den Philosophen, Politikern und anderen Sinnspezialisten überließen.

Wenn wir den Beziehungsaspekt der Sexualität betonen wollen, sprechen wir heute lieber in Begriffen wie »Objektkonstanz«[5] und »Beziehungsfähigkeit« und nicht von »Genitalprimat«. Dabei entsteht freilich die Gefahr, daß sich das Sexuelle aus der Psychoanalyse verflüchtigt[6] und mit dem Sexuellen auch Freuds Trieblehre aus den neueren Objektbeziehungstheorien verdrängt wird.

Libido, Sexualität und Trieb. In einer 1924 eingefügten Fußnote sagt Freud: »Die Trieblehre ist das bedeutsamste, aber auch das unfertigste Stück der psychoanalytischen Theorie.« (S. 70, Anm. 1, unten.) Dieser Satz gilt auch heute noch, jedenfalls was sein zweites Prädikat, »das unfertigste Stück«, betrifft. Viele moderne psychoanalytische Konzepte und Schulbildungen haben das Triebkonflikt-Para-

5 Vgl. etwa bei Edith Jacobson, *Das Selbst und die Welt der Objekte*, Suhrkamp Verlag, Frankfurt am Main 1973.
6 Vgl. Paul Parin, ›Die Verflüchtigung des Sexuellen‹, in: ders., *Subjekt im Widerspruch*, Syndikat Verlag, Frankfurt am Main 1986.

digma weitgehend oder ganz aufgegeben und durch andere Paradig-
mata und Modellvorstellungen ersetzt – oder aber den Triebbegriff
so weit gefaßt, daß er den von Freud intendierten und zeitlebens
festgehaltenen sexuellen Kern nicht mehr enthält. Ja, man kann sagen, daß sich alle wesentlichen psychoanalytischen Abfallbewegun-
gen und Revisionen am Triebkonflikt-Paradigma entzündet haben.
Das gilt für die »Individualpsychologie« von Alfred Adler ebenso
wie für die »Tiefenpsychologie« von C. G. Jung und die »Selbstpsy-
chologie« von Heinz Kohut.
Das Freudsche Triebkonflikt-Paradigma erscheint in den *Drei Abhandlungen* nur implizit, etwa in der Formulierung »Die Symptome sind [...] die Sexualbetätigung der Kranken« (unten, S. 66)
und der daran anschließenden Erklärungsreihe: affektbesetzter
Wunsch, Verdrängung, Konversion, Symptom. In holzschnittarti-
ger Reduktion könnte man dieses Paradigma so zusammenfassen:
Der seelische Konflikt ist konstitutiv für den Menschen und für die
Menschwerdung. Jeder seelische Konflikt besteht im Kern aus
einem Triebwunsch und aus der gegen ihn gerichteten Abwehr. Jeder Triebwunsch enthält notwendig eine sexuelle Dimension. Der
Konflikt ist dem Wunsch wesentlich eingeschrieben, ist ihm zuge-
hörig und wird nicht nur sekundär, etwa als »gesellschaftliche Forderung«, »repressive Erziehung« usw., an ihn herangetragen.
Dieses Paradigma hat in alle Einzelwissenschaften hineingewirkt;
von der Medizin bis zur Germanistik, von der Physik bis zur Theo-
logie hat es Gegner und Befürworter herausgefordert. Stellvertretend sei hier eine Kontroverse aus der Sexualwissenschaft erwähnt.
Gunter Schmidt, ein Vertreter der empirischen Sexualforschung,
kommt in mehreren Untersuchungen zu dem Schluß, das Triebmodell der Sexualität gehöre zur Ideologie des 19. Jahrhunderts, sei
ganz dem physikalisch-hydraulischen Denkmodell der Physik des
19. Jahrhunderts verhaftet (»Dampfkesselmodell«) und werde besser durch den psychologischen Begriff der Motivation ersetzt.[7] Er
schlägt vor, statt von Trieb von sexueller Erregung zu sprechen und
diese rein operational zu definieren. Gegen solches Definieren –

---

7 G. Schmidt, ›Motivationale Grundlagen sexuellen Verhaltens‹, in: Hans Tho-
mae (Hrsg.), *Enzyklopädie der Psychologie*, Hofgreve Verlag, Göttingen 1983.

z. B.: »Erregbarkeit ist die inter- und intraindividuell variierende Bereitschaft, auf eine sexuelle Situation sexuell zu reagieren« – hat der Sexualwissenschaftler Volkmar Sigusch heftigen Einspruch erhoben und es wohl zu Recht als »leere Rotation« bezeichnet.[8] Sigusch weist immer wieder auf den »ideengeschichtlichen Ort« des Triebbegriffs – zwischen Aufklärung, mechanischem und historischem Materialismus – hin. Tatsächlich macht die philosophische Sättigung des Triebbegriffs dessen Reiz aus – und sein Ärgernis; innerhalb wie außerhalb der psychoanalytischen Zunft. Die psychoanalytische Trieblehre wird aus immanenten Gründen niemals »fertig« sein, weil sie sich nur am Rande auf das naturwissenschaftlich nachweisbare körperliche Substrat bezieht und weil der Triebbegriff in erster Linie eine *gedachte* Schnittstelle zur »Abgrenzung des Seelischen vom Körperlichen« (unten, S. 70) gedanklich fixiert. Mit unserem wachsenden Wissen und unseren sich wandelnden Vorstellungen über das seelische »Funktionieren« wandelt sich aber auch ständig unsere gedankliche Fixierung des Triebes innerhalb des psychoanalytischen Wissens.

Freuds zusammenfassende Definition der Libido als der Energie des Sexualtriebs läßt viele Fragen offen. Theoretische Dissonanzen ergeben sich insbesondere aus dem Umstand, daß Freuds »Triebmodell« dualistisch ist, also stets mit zwei als Gegensatzpaaren gedachten »Grundtrieben« operiert. In der Entwicklung von Freuds Denken waren das nacheinander die Gegensatzpaare Sexualtrieb / Ich- oder Selbsterhaltungstrieb; Sexualtrieb / Aggressionstrieb; Lebenstrieb (inklusive Sexualität) / Todestrieb.[9] Eine große Integrationsschwierigkeit ergibt sich nun daraus, daß Freud einerseits den Trieb als »Grenzbegriff zwischen Seelischem und Somatischem«[10]

8 V. Sigusch, ›Lob des Triebes‹, in: ders., *Vom Trieb und von der Liebe*, Campus Verlag, Frankfurt am Main 1984.
9 Vgl. die Erläuterung der entsprechenden Stichworte bei Humberto Nagera (Hrsg.), *Psychoanalytische Grundbegriffe*, Eine Einführung in Sigmund Freuds Terminologie und Theoriebildung, S. Fischer Verlag, Frankfurt am Main 1974, und bei Jean Laplanche und J.-B. Pontalis, *Das Vokabular der Psychoanalyse*, Suhrkamp Verlag, Frankfurt am Main 1972.
10 S. Freud, ›Triebe und Triebschicksale‹, in: ders., *Gesammelte Werke*, Bd. 10, London 1946, S. 214.

auffaßt, andererseits aber nur die sexuelle Erregung ein spezifisches körperliches Substrat – nachweisbar in den Sexualhormonen – hat.

Als eigentlicher Mangel der Freudschen Trieblehre wird innerhalb des psychoanalytischen Denkens heute der Umstand empfunden, daß diese die Triebentwicklung im Rahmen einer »Ein-Personen-Psychologie« konzipiert. Die psychische Entwicklung wird in diesem Modell weitgehend analog der biologischen Reifung beschrieben. Darum nehmen auch die »Phasen« oder »Stufen« der psychosexuellen Entwicklung (unten, S. 98 f.) einen Stellenwert wie in einem biologischen Reifungsplan ein. In diesem Modell ist das den Menschen wesentlich ausmachende Subjekt-Objekt-Verhältnis zu schwach repräsentiert. Das Individuum erscheint in ihm gleichsam als Monade. Die globale Entwicklung in der Psychoanalyse seit Freud geht hin zu einer *Theorie der Objektbeziehung* (oder mehrerer konkurrierender Theorien der Objektbeziehung), also dahin, von den frühesten Stadien der Säuglingsentwicklung an die verinnerlichten Formen und Modalitäten der Subjekt-Objekt-Beziehung, kurz die Objektbeziehungen, zum Paradigma zu erheben. Die Entwicklung des »Selbst« und die der »Identität« rücken damit stärker in den Vordergrund – und damit philosophisch offene Konzepte und Begriffe, denen Freud in seiner ambivalenten Orientierung am Ideal der klassischen Physik noch skeptisch gegenübergestanden hatte. Diese in sich sehr unterschiedlichen und sich untereinander teilweise ausschließenden Konzepte sind mit den Namen von Melanie Klein, Edith Jacobson, Eric H. Erikson, Margaret Mahler, Donald W. Winnicott und Heinz Kohut verbunden.

Während die klassische Trieblehre auf einer einzigen Prämisse aufbaut, nämlich auf den aus dem Körperinneren kontinuierlich an die Peripherie dringenden körperlichen Reizen, muß heute jede psychoanalytische Theorie, die überhaupt am Triebkonzept festhält, von zwei Prämissen ausgehen: 1) daß der menschliche Organismus, wie alle Organismen, zu Homöostase und Selbsterhaltung tendiert und 2) daß das Kind von Anfang an mit der kulturellen oder gesellschaftlichen Welt der Erwachsenen konfrontiert ist und die Reize, die von dieser Welt ausgehen, verarbeiten muß. Man kann

nun mit Jean Laplanche[11] den sich »von Anfang an« bildenden Trieb
als die Erregung verstehen (und definieren), die von denjenigen »Erwachsenen«-Reizen ausgeht, die nicht verarbeitet werden können
und die darum – in Freuds Sprache – das Ur-Verdrängte bilden. Vom
Ur-Verdrängten geht demnach die »Arbeitsanforderung für das Seelenleben« aus (unten, S. 70) – und nicht von irgendwelchen ursprünglich nur biologisch zu denkenden Trieben, die »an sich keine Qualität
besitzen« (ibid.). Der Trieb bildet sich *in* der Subjekt-Objekt-Beziehung – und geht ihr nicht voraus. »Der Trieb ist also weder ein mythi-
sches Wesen noch eine biologische Kraft, noch ein Grenzbegriff. Er
ist die Wirkung der konstanten Erregung, die die verdrängten Sach-
Vorstellungen, die man als Quell-Objekte des Triebes bezeichnen
kann, auf das Individuum und auf das Ich ausüben. [...] Falls ich eine
gleichsam metaphysische Hypothese über den allertiefsten Ursprung dieser Kraft aufstellen sollte, so würde ich sagen, daß sie das
Maß der Unterschiede oder der Ungleichheit ist zwischen dem, was
in den an das Kind herangetragenen rätselhaften Botschaften symbolisierbar und dem, was nicht symbolisierbar ist. Sie ist, wenn ich es so
ausdrücken darf, das Maß der Quantität des Traumas.«[12]

Die Phasen der psychosexuellen Entwicklung. Der kleine Abschnitt
über die »Entwicklungsphasen der sexuellen Organisation« stellt
die Urform der weit über die Grenzen der Psychoanalyse hinaus
bekannt und fruchtbar gewordenen psychoanalytischen Entwicklungspsychologie dar. In ihrer entfalteten Form wird sie heute in
vielen psychoanalytischen Lehrbüchern dargestellt.[13] In einer Anmerkung von 1924 fügt Freud die *»phallische* Organisationsstufe«
(unten, S. 101, Anm. 1) ein, und zwar in solcher Verkürzung, daß sie

---

11 J. Laplanche, *Die allgemeine Verführungstheorie*, edition diskord, Tübingen
   1988.
12 A. a. O., S. 142, 144.
13 Vgl. z. B. Charles Brenner, *Grundzüge der Psychoanalyse*, S. Fischer Verlag,
   Frankfurt am Main 1970; Gertrude und Rubin Blanck, *Angewandte Ich-
   Psychologie*, Klett-Cotta Verlag, Stuttgart 1978; Otto Fenichel, *Psychoanalytische Neurosenlehre*, Bd. 1, Walter Verlag, Olten und Freiburg i. Br. 1974;
   Dieter Ohlmeier (Hrsg.), *Psychoanalytische Entwicklungspsychologie*, Rom-
   bach Verlag, Freiburg i. Br. 1973.

den Widerstand jedes unvoreingenommenen Lesers von heute hervorrufen muß. Im Text selbst fehlt ein Hinweis auf den *Ödipuskomplex* noch, der später in Freuds Denken den Stellenwert einer
Hauptbezugsachse der psychosexuellen, ja der menschlichen Entwicklung überhaupt einnehmen wird (erst an einer späteren Stelle –
unten, S. 126, Anm. – erwähnt Freud ihn in einer 1920 hinzugefüg-
ten Fußnote). Aus der Optik der entfalteten psychoanalytischen
Entwicklungspsychologie ist der Ödipuskomplex Verdichtungs-
und Kulminationspunkt des infantilen Abschnitts der psychosexuellen Entwicklung. Aus der Optik der psychoanalytischen Neurosenlehre ist er zugleich der »Kernkomplex der Neurosen« (ibid.),
also der Angelpunkt des Neurosenverständnisses. Aus Gründen der
Einheitlichkeit will ich jedoch hier nicht näher auf den Ödipuskomplex aus heutiger Sicht eingehen; ich werde ihn in der Einleitung zu
dem Band *Schriften über Liebe und Sexualität* der vorliegenden Ta-
schenbuch-Sammlung[14] darstellen.
Freud selbst hat ebensowenig ein Lehrbuch der psychosexuellen
Entwicklung wie eines der Neurosenlehre verfaßt. Er war sein ganzes Leben lang zu sehr unterwegs mit und zu Neuentdeckungen.
Die erste als solche zu bezeichnende Lehre zu Freuds Lebzeiten
stammt von dessen Schüler Karl Abraham, sie erschien 1924 unter
dem Titel ›Versuch einer Entwicklungsgeschichte der Libido auf
Grund der Psychoanalyse seelischer Störungen‹[15]. Schon der Titel
macht den prinzipiellen Erkenntnisweg der Psychoanalyse deutlich: vom Studium seelischer Störungen ausgehend auf eine hypothetische Normalentwicklung zu schließen. Dieses methodische
Verfahren wird insbesondere von der akademischen Psychologie
kritisiert, die auf »neutrale Beobachtung« an »Normalpopulatio-
nen« setzt. Es hat seine Rechtfertigung darin, daß wir in der Psycho-

---

14 Vgl. die Gesamtübersicht über Freuds Werke im Taschenbuch am Schluß
   dieses Bandes.
15 Enthalten in: K. Abraham, *Gesammelte Schriften in zwei Bänden*, hrsg. und
   eingel. von Johannes Cremerius (= Neuausgabe von: K. Abraham, *Psychoanalytische Studien*, Gesammelte Werke in zwei Bänden, Frankfurt am Main
   1969, 1971), Frankfurt am Main 1982, Bd. 2 (Fischer Taschenbuch Nr. 7320),
   S. 32–102.

analyse niemals »von außen« beobachten können und inzwischen gesichert wissen, daß auch jede vorgeblich neutrale Beobachtung den Beobachtungsgegenstand verändert. Durch die methodische Reflexion der Übertragungssituation versuchen wir, Rechenschaft zu geben über die Veränderung, die wir an unserem »Beobachtungsgegenstand«, dem Patienten, vornehmen. Das »normale« Bild einer »Phase«, eines »Komplexes« usw. rekonstruieren wir dann aus einer Vielfalt ja immer nur partiell »gestörter« Individuen.

Außerhalb der Psychoanalyse wird die »Phasenlehre« oft sehr verkürzt gelehrt – und demzufolge dann unkritisch geglaubt oder ebenso unkritisch abgelehnt. Sie wird nämlich oft so gelehrt, als hätten diese »Phasen« den naturgesetzlichen Ablaufcharakter von Beobachtungstatsachen. In Wirklichkeit handelt es sich hier, wie durchgängig in der Psychoanalyse, nur zum einen Teil um beobachtbare Tatsachen (Reifungsvorgänge, Verhalten usw.), der andere und vielleicht entscheidende Teil ist ein theoretisches Konstrukt, ein Konzept, mit dessen Hilfe wir uns nicht direkt beobachtbare innere und schwer verstehbare äußere Vorgänge verständlich machen wollen.

Nach Freud sind andere psychoanalytische Entwicklungskonzepte entworfen worden, die mit ganz anderen Bezugsgrößen als den erogenen Zonen und den Partialtrieben operieren. Das bekannteste solche Konzept ist das von Margaret Mahler, das die menschliche Entwicklung unter dem Paradigma von Symbiose, Loslösung und Individuation betrachtet.[16] Dieses Konzept stützt sich übrigens stark auf die »äußere« Beobachtung der Mutter-Kind-Interaktion in der kontrollierten Beobachtungssituation. Aber auch Mahlers Konzept ist nur ein weiterer Schritt auf einer unendlichen Erkenntnisspirale, deren erste Schleifen von Freud gezogen worden waren. Neuere Ergebnisse der Säuglingsforschung haben ergeben, daß sich die Konstruktion eines ursprünglich passiven, abgeschirmten, undifferenzierten Zustands, in dem der Säugling mit der Mutter zusammen eine Symbiose bildet, aus der er sich dann allmählich loslöst, ebensowenig halten läßt wie die Konstruktion eines ursprünglichen Autoerotismus (Freud). Einer der führenden Spezialisten der Säuglingsforschung, Daniel Stern, rückt ganz ab von einem Klassifizie-

---

16 Margaret S. Mahler, *Symbiose und Individuation*, Klett Verlag, Stuttgart 1972.

ren nach Entwicklungs*phasen*; er unterscheidet vier Arten von *Selbstgefühl*, die sich aufeinander aufbauend entwickeln, aber jede für sich zeitlebens erhalten bleiben.[17] Aus Sterns Theoretisieren hinwiederum ist der Trieb endgültig entschwunden.

Auf ihre Weise hatte eine andere Psychoanalytikerin, Melanie Klein, schon sehr früh begonnen, nicht mehr in »Phasen«, sondern in »Positionen« zu denken. Sie unterscheidet auf der Grundlage einer radikalisierten klassischen Trieblehre zwei Positionen verinnerlichter Objektbeziehungen, die sie die paranoid-schizoide und die depressive Position nennt. Zum Unterscheidungskriterium wird hier die Frage, ob das in der infantilen Phantasie attackierte und zerstörte innere Objekt (Mutter, Brust usw.) als Verfolger erlebt wird (paranoid-schizoid) oder ob Trauer und Wiedergutmachungsbestrebungen (depressiv) um dieses triebhaft angegriffene Objekt entstehen können.[18] Diesen »Positionen« eignet nicht die Linearität auf einer gedachten Zeitachse, die Freuds »Phasen« auszeichnet und die zu so vielen Verdinglichungen im Denken verführt.

Freuds Verdienst aber bleibt: zum ersten Mal in der Geschichte überhaupt ein Körper und Geist zusammendenkendes Entwicklungsmodell der Sexualität entworfen zu haben, das die gesamte Lebensspanne umfaßt. Dieses Modell hat sich als so brauchbar erwiesen, daß es zum Maß geworden ist, an dem sich alle späteren Entwicklungspsychologien messen, auch wenn sie andere Maßeinheiten entwerfen.

Pubertät und Adoleszenz. Die Kühnheit von Freuds *Drei Abhandlungen* besteht nicht zuletzt darin, daß er, kaum daß er damit begonnen hatte, den Trieb in den Rang eines zentralen Erkenntnismittels zu erheben, auch schon weitereilte in die Richtung einer Theorie des Lebenszyklus und der Liebe. Der Zyklus beginnt mit der Mutterbrust als dem ersten »Sexualobjekt« (unten, S. 122) und reicht bis zu der klassisch gewordenen Formulierung: »Die Objektfindung ist eigentlich eine Wiederfindung.« (Ibid.) Die Pubertät nimmt in dieser

---

17 D. N. Stern, *The Interpersonal World of the Infant*; A View from Psychoanalysis and Developmental Psychology, Basic Books, New York 1985.
18 M. Klein, *Das Seelenleben des Kleinkindes*, Klett-Cotta Verlag, Stuttgart 1983.

Theorie den Stellenwert eines Knotenpunktes ein: »[...] wie der Durchschlag eines Tunnels von beiden Seiten her.« (S. 108, unten.) In der auf die *Drei Abhandlungen* folgenden Zeit sind Pubertät und Adoleszenz in ihrer Eigenschaft als Katalysatoren der Identität und Motoren der Kulturentwicklung von der Psychoanalyse sehr vernachlässigt worden. Die noch im Entstehen begriffene Wissenschaft war lange Jahrzehnte damit beschäftigt, ihre eigene Identität, die Psychoanalyse als Behandlungsmethode, zu entwickeln. Diese Methode wurde vornehmlich an Erwachsenen ausgebildet und praktiziert. Der genetisch rekonstruierende Blick, der die Methode der Psychoanalyse zunächst bestimmte, brachte es mit sich, daß immer »frühere« Auslöser eines späterhin psychopathologischen Geschehens in den Mittelpunkt des Interesses rückten. Dadurch wurden Pubertät und Adoleszenz zwangsläufig an den Erkenntnisrand gedrängt. Freuds Erkenntnis von der Zweizeitigkeit der Objektwahl (unten, S. 101) und von den bewußt verfügbaren Erinnerungen als *Deckerinnerungen* (mit denen frühere Ereignisse und Phantasien verdeckt werden) führte unter der Hand dazu, die gesamte Pubertät und Adoleszenz wie eine Neuauflage, gleichsam als Deckerinnerung zu betrachten.

Das Neue der Pubertät, das Freud mit dem lakonischen Satz bezeichnet: »Nun wird ein neues Sexualziel gegeben« (unten, S. 108), geriet ziemlich aus dem Blick. Aber auch da, wo die Adoleszenz wieder zum Untersuchungsgegenstand wurde, blieb der Blick auf die Psychopathologie fixiert. Von den neueren psychoanalytischen Monografien über die Adoleszenz seien besonders die von Peter Blos[19] über den normalen Verlauf der Adoleszenz in den westlichen Industriegesellschaften und die von Moses und Eglé M. Laufer[20] über die Störungen in der Adoleszenz erwähnt. Blos hat das körperlich-seelisch-soziale Spannungsverhältnis von Pubertät und Adoleszenz folgendermaßen abgesteckt· Pubertät ist die Periode kurz vor der Entwicklung der primären und sekundären Geschlechts-

19 P. Blos, *Adoleszenz – eine psychoanalytische Interpretation*, Klett Verlag, Stuttgart 1973.
20 M. und E. M. Laufer, *Adoleszenz und Entwicklungskrise*, Klett-Cotta Verlag, Stuttgart 1989.

merkmale; Adoleszenz ist die Zeitspanne der inneren und äußeren Anpassung an die biologische Geschlechtsreife. Diese Zeitspanne soll mit dem Erwachsenenalter abschließen. Da viele Psychoanalytiker zu einem harmonistischen Gesellschaftsbild neigen, in dem die Gesellschaft als erweiterte harmonische Normalfamilie erscheint, neigen sie auch dazu, die Adoleszenz unter dem Blickwinkel einer funktionalen Vorbereitung auf die Erwachsenenrolle zu betrachten. Dabei fordert Freuds Entdeckung der Zweizeitigkeit der sexuellen Entwicklung gerade dazu heraus, die beiden biologischen Triebschübe und die sich aus ihnen ergebenden kulturellen Anpassungsforderungen in ihrer ganzen Widersprüchlichkeit zu sehen. Der erste Triebschub, der seinen Höhepunkt im Ödipuskomplex hat, führt in die Familie *hinein*, dahin, daß das Individuum seinen Platz in der konservativen Familienstruktur findet; der zweite Triebschub, der mit der Pubertät beginnt, führt aus der Familie *hinaus* und zu kulturellen Anpassungsprozessen, bei denen das innovative Moment im Vordergrund steht.

Mario Erdheim hat den unterschiedlichen Verlauf der Adoleszenz in archaischen (»geschichtslosen«) Stammesgesellschaften untersucht und mit dem Verlauf in modernen Industriegesellschaften verglichen. Er kommt in seiner für die psychoanalytische Adoleszenzforschung bahnbrechenden Studie[21] zu dem Schluß, daß die stationären Kulturen geschichtliche Dynamik nur dadurch vermeiden können, daß sie das *natürliche* Innovationspotential der Adoleszenz unterdrücken. Die Initiationsriten in diesen Kulturen haben den Sinn, die Jungen auf die unveränderte Fortführung des So-Seienden festzulegen. In der strukturalen Betrachtungsweise von Claude Lévi-Strauss *mangelt* es diesen Gesellschaften nicht an Geschichte, sondern sie versuchen gegen das Eindringen von Geschichte verzweifelt Widerstand zu leisten. Erdheim kommt zu einem Schluß, der der Psychoanalyse als kritischer Theorie der Gesellschaft spannende Horizonte eröffnet: »Der Antrieb, Kultur zu *verändern*, muß im Menschen ebenso angelegt sein wie seine Fähigkeit, sie sich anzueig-

---

21 M. Erdheim, *Die gesellschaftliche Produktion von Unbewußtheit*; Eine Einführung in den ethnopsychoanalytischen Prozeß, Suhrkamp Verlag, Frankfurt am Main 1982.

nen und zu bewahren. [...] Weil der Mensch Adoleszenz hat, ist seine Welt eine geschichtliche.«[22]
Mit der Pubertät wird also nicht nur »ein neues Sexualziel gegeben« – sondern das Neue überhaupt, das niemals nur eine Neuauflage des Alten ist.

Mann und Frau. Freuds Äußerungen zum Verhältnis der Geschlechter wirken auf den heutigen Leser gelegentlich etwas verschroben, unhaltbar und chauvinistisch. So etwa, wenn er meint, das Kind sei zu sexuellen Perversionen ebenso verführbar wie »das unkultivierte Durchschnittsweib« (unten, S. 93), oder wenn er über die Sexualentwicklung in der Pubertät sagt: »Die des Mannes ist die konsequentere, auch unserem Verständnis leichter zugängliche, während beim Weibe sogar eine Art Rückbildung auftritt.« (S. 108, unten.) Freud neigte dazu, die Frau als ein männliches Mängelwesen, als kastrierten Mann zu sehen. Wenn wir Begriffe wie Penisneid oder Kastration gebrauchen, müssen wir uns genau überlegen, ob wir körperliche Organe und reale Vorgänge meinen oder ob wir metaphorisch sprechen. Freud sah hier die Dinge ganz körperlich: Der Junge befürchtet die Kastration; das Mädchen »erblickt« das anders gestaltete Genitale des Knaben »und es unterliegt dem Penisneide« (unten, S. 97).
Es waren besonders Psychoanalytikerinnen, die noch zu Freuds Lebzeiten den Penisneid bis zum Neid auf die mütterliche Brust zurückführten. Vieles spricht dafür, daß der Penisneid der Frau nur zusammen mit der komplementären Annahme eines Vaginalneides beim Mann eine sinnvolle Konstruktion ergibt.[23] Sachlich geht es nämlich um die Darstellung des Neides und seiner Abkömmlinge (Haß, Bewunderung, Verachtung) des einen Geschlechts auf die zugleich phantasierte *und* reale Potenz *und Gestalt* des jeweils anderen Geschlechts. Dabei ist es sekundär, wie leibnah oder leibfern dieser Neid an der realen Anatomie und Physiologie des anderen Geschlechts festgemacht wird. Die anthropologische Konstante ist wohl die: Das jeweils andere Geschlecht »hat etwas«, das dem eige-

---

22 A.a.O., S.296.
23 Vgl. R. Reiche, *Geschlechterspannung. Eine psychoanalytische Untersuchung*, Frankfurt am Main 1990 (Fischer Taschenbuch Nr. 10329).

nen ermangelt, und aus dieser Differenz ergibt sich eine Spannung, *die Geschlechterspannung* in ihren vielfältigen historischen, kulturellen, ökonomischen und psychischen Konkretionen.

Greifen wir noch einmal eine Äußerung Freuds zum Geschlechterverhältnis heraus: »[...] die Entwicklung der Sexualitätshemmungen (Scham, Ekel, Mitleid usw.) erfolgt beim kleinen Mädchen frühzeitiger und gegen geringeren Widerstand als beim Knaben; die Neigung zur Sexualverdrängung erscheint überhaupt größer [...].« (S. 119, unten.) Wir haben dann an dieser wie an vergleichbaren Äußerungen vier Ebenen zu unterscheiden. Die erste bezieht sich auf mögliche tatsächliche Unterschiede zwischen Mann und Frau, die sich aus ihrer unterschiedlichen anatomischen und physiologischen Ausgangslage ergeben; hier sollten wir sehr zurückhaltend sein mit Äußerungen über die »Natur« von Mann und Frau. Die zweite Ebene bezieht sich auf reale, aber geschichtlich gewordene Unterschiede, die Freud als natürliche Unterschiede interpretiert. Die dritte Ebene bezieht sich auf Unterschiede, die in Freuds Epoche kulturell noch dominant waren, aber inzwischen verwischt oder sogar aufgelöst sind; hier sollten wir sehr vorsichtig sein mit einer modischen Kritik an Freud und uns zunächst einmal die Kulturgeschichte und Massenpsychologie der Jahrhundertwende vergegenwärtigen. Die vierte Ebene schließlich bezieht sich auf Freuds eigene Phantasien über das Geschlechterverhältnis. Freud hat sicherlich zeitlebens die im Neid agierte Männlichkeit der Frau viel klarer erkannt als die abgewehrte Weiblichkeit des Mannes – mit all ihren chauvinistischen und imperialistischen Folgeerscheinungen. Wie leicht sagt sich das heute dahin: daß Freud in seiner Selbstanalyse wohl kaum bis zu seiner eigenen »Weiblichkeit« vorzudringen vermochte. Auch Titanen sind nur Menschen in ihrer Epoche.

Die psychoanalytisch begründeten Korrekturen an Freuds Sicht unterschiedlicher männlich-weiblicher Entwicklungswege sind so vielfältig, daß hier auf einige wichtige zusammenfassende Arbeiten verwiesen sei.[24] Die feministische Kritik an der Psychoanalyse ist so

---

24 Janine Chasseguet-Smirgel (Hrsg.), *Psychoanalyse der weiblichen Sexualität*, Suhrkamp Verlag, Frankfurt am Main 1974; Margarete Mitscherlich-Nielsen u. a., *Was will das Weib in mir?*, Kore Verlag, Freiburg i. Br. 1989.

schillernd, daß es gut ist, zu unterscheiden zwischen solchen Kriti-
ken, die die Psychoanalyse insgesamt als »patriarchalische Wissenschaft« und als »sexistisch« ablehnen, und solchen, die »mit Freud
gegen Freud« argumentieren – die sich also auf die psychoanalytische Lehre einlassen.[25]

Neurose und Perversion. Die Selbstvertiefung der Psychoanalyse in
ihre eigene Methode hat es mit sich gebracht, daß wir von der Ober-
fläche der Symptome, des Verhaltens, überhaupt der Schilderungen
und Assoziationen des Patienten in der Analysestunde zunehmend
in die »Tiefe«, zum Unbewußten gelangen und zu dem, was wir
dann in einem nachträglichen Schritt des Denkens und Theoretisie-
rens als Struktur bezeichnen. Symptome werden dann auf eine ganz
eigene Art unwichtig – im Verlauf einer psychoanalytischen Behandlung ebenso wie im historischen Verlauf der psychoanalytischen Wissenschaftsentwicklung.
Weil wir alle Symptome auf ihre lebensgeschichtlichen und unbewußten Determinanten zurückverfolgen, lösen wir dabei notwendigerweise auch die sexuelle Determinante der Symptome in ihre
Einzelelemente auf. Denn, was wir »sexuell« nennen, ist eine hoch
synthetische Angelegenheit, über die man psychoanalytisch nur
etwas erfährt, wenn man sie, wie Freud es in den *Drei Abhandlungen*
tut, nach Objekt, Quelle, Ziel usw. auseinandernimmt. In diesem
Sinn müssen wir auch Freuds schöne Formel – »Die Symptome sind
[...] die Sexualbetätigung der Kranken« (unten, S. 66) – wiederum
auseinandernehmen. Freud selbst tut dies – bei jedem Symptom, das
sich in einer Analyse zeigt, aufs neue. Wir würden heute eher sagen:
Neurotische, perverse und psychotische Symptome sind der äußere, beobachtbare Ausdruck verinnerlichter, konflikthafter, aber
unbewußter Objektbeziehungen – und diese verinnerlichten Objektbeziehungen drücken auch den Sexualbetätigungen ihren Stem

25 Juliet Mitchell, *Psychoanalyse und Feminismus*, Suhrkamp Verlag, Frankfurt
am Main 1976; Carol Hagemann-White, ›Die Kontroverse um die Psychoanalyse in der Frauenbewegung‹, *Psyche*, Bd. 32 (1978), S. 732–763; Renate
Schlesier, *Konstruktionen der Weiblichkeit bei Sigmund Freud*, Verlag
Stroemfeld/Roter Stern, Frankfurt am Main 1981.

pel auf. Alle verinnerlichten Objektbeziehungen haben auch eine sexuelle Dimension.

Die Formel von der Neurose als dem Negativ der Perversion (unten, S. 68) bringt den unterschiedlichen Modus der Konfliktverarbeitung bei Neurose und Perversion auf einen klaren, noch heute gültigen Nenner. An einem schaubildartigen Vorgang erläutert: Ein hypothetisches Ausgangstrauma – z. B. früher Objektverlust – wird das eine Mal mit dem Mittel der *Sexualisierung* (spätere Perversion), das andere Mal ohne dieses Mittel, aber doch derart konflikthaft verarbeitet, daß die libidinösen Energien weitgehend oder sogar ganz von der Dynamik der Neurose absorbiert werden und darum nicht mehr der schöpferischen (inklusive sexuellen) Lebenstätigkeit zur Verfügung stehen.

Schon recht früh haben Fenichel und Glover die Sexualisierung der Angst in frühen traumatischen Situationen als eine gemeinsame Wurzel bei allen perversen Strukturen erkannt. Freud selbst hat unser heutiges Wissen über die Sexualisierung ursprünglich nichtsexueller Vorgänge oder Objekte – und nichts anderes ist die Perversion – vorbereitet, wenn er in den *Drei Abhandlungen* feststellt, »daß alle intensiveren Affektvorgänge, selbst die schreckhaften Erregungen auf die Sexualität übergreifen« (unten, S. 104). Er hat von da an seine Erkenntnisse über den innerpsychischen Aufbau der Perversion immer wieder neu formuliert, so etwa in einer Arbeit über ›Fetischismus‹ von 1927. Hier hat er erstmals den später so bedeutsam gewordenen Abwehrmechanismus der Spaltung beschrieben: in der fetischistischen Erregung bestehen »die wunschgerechte wie die realitätsgerechte« Sicht der Wirklichkeit scheinbar unbehelligt nebeneinander.[26]

Viele Psychoanalytiker, die sich intensiv mit den Perversionen beschäftigt haben, weisen auf den adaptiven und sogar kreativen Charakter der perversen Bildungen hin und betonen deren *Plombenfunktion*: Etwas, das sonst psychisch zerfallen würde, wird durch sie zusammengehalten. Phyllis Greenacre sprach in diesem Sinn

---

26 S. Freud, ›Fetischismus‹, in: ders., *Gesammelte Werke*, Bd. 14, London 1948, S. 316.

vom »security prop« (Sicherheitspfropf)[27], Masud Khan vom »montierten inneren Objekt«[28] und Fritz Morgenthaler von der »perversen Plombe, die die narzißtische Lücke im Selbst füllt«[29]. Auch wenn wir klar erkennen müssen, daß alle schweren Perversionen am Rande von Zerstörung und Selbstzerstörung operieren, dürfen wir doch gleichzeitig nicht aus dem Auge verlieren, daß sie in erster Linie Versuche sind, innere Destruktivität zu binden.

Die Frage, ob die Homosexualität zu den Perversionen zu zählen ist oder nicht, hat lange Zeit die Gemüter bewegt – und wird sie auch immer wieder bewegen. Hier seien stellvertretend zwei kontroverse psychoanalytische Positionen benannt: diejenige von Charles W. Socarides[30], der für die Homosexualität und die Perversionen einen gemeinsamen strukturellen Kernkomplex annimmt (den Wunsch, mit der Mutter zu verschmelzen, *und* die sexualisierte Abwehr dieses Vernichtungsangst erzeugenden Wunsches), und diejenige von Fritz Morgenthaler[31], der einen »normalen« (gesunden) Weg zur Homosexualität rekonstruiert, der dann sekundär ebenso neurotisch ausgestaltet werden kann wie der »normale« Weg zur Heterosexualität auch. Auf jeden Fall ist es ungemein hilfreich, zwischen der *Homosexualität* als Triebschicksal (Freud) und dem *Homosexuellen* als einer soziokulturellen Gestalt zu unterscheiden. Ein Triebschicksal ist etwas Unausweichliches; es wird zusammen mit der sexuellen Identität in einem sehr frühen Alter (von zwei bis drei Jahren) festgelegt und wird die spätere Objektwahl »schicksalhaft« bestimmen. Homosexuell wird man aber im allgemeinen erst in der

27 Ph. Greenacre, ›The Fetish and the Transitional Object‹ (1969), in: dies., *Emotional Growth*, Bd. 1, International Universities Press, New York 1971, S. 315–334.

28 M. M. R. Khan, *Entfremdung bei Perversionen*, Suhrkamp Verlag, Frankfurt am Main 1983.

29 F. Morgenthaler, *Homosexualität – Heterosexualität – Perversion*, Frankfurt am Main 1987 (Fischer Taschenbuch Nr. 42285, Reihe ›Geist und Psyche‹).

30 Ch. W. Socarides, *Der offen Homosexuelle*, Suhrkamp Verlag, Frankfurt am Main 1971.

31 F. Morgenthaler, ›Die Stellung der Perversionen in Metapsychologie und Technik‹, in: ders., *Homosexualität – Heterosexualität – Perversion*, a. a. O., S. 25–47.

Adoleszenz, in einem stets krisenhaften Prozeß des *coming out*. Man kann versuchen, dieses coming out hinauszuzögern oder ganz zu vermeiden. Man vermeidet es dann, zum Homosexuellen zu werden, obwohl man eine homosexuelle Struktur hat.[32] Im coming out spielt die homosexuelle Subkultur die Rolle des Geburtshelfers – und in geschichtlichen Epochen, Kulturen oder Gesellschaften, in denen es keinerlei solche Subkulturen gibt, »gibt« es auch keine Homosexuellen, sondern nur Menschen, die auf ihnen selbst geheimnisvolle und sie ängstigende Weise »so« empfinden und dann daraus ein Geheimnis oder, positiv gewendet, einen Mythos machen.

Erst ganz zuletzt läßt Freud ein großes Thema anklingen, dem er noch im gleichen Jahr eine eigene Abhandlung widmen und über das er dann immer weiter nachdenken und schreiben wird: das Thema »der gegensätzlichen Beziehung zwischen Kultur und freier Sexualitätsentwicklung« (unten, S. 141). Seine Wahrnehmung der Kindheit »auf niedriger Kultur- oder Gesellschaftsstufe« ist hier noch von dem ethnozentristischen Vorurteil verzerrt, in archaischen Gesellschaften sei es nicht so »bedeutsam«, wie die psychosexuelle Entwicklung des Kindes verlaufe. (Ibid.) Aber auch hier wieder wird der schiefe Blick im Detail vielfach aufgewogen durch die Tatsache, daß er unseren Blick überhaupt frei macht für den Zusammenhang von kultureller Entwicklung, psychosexueller Entwicklung und Triebsublimierung. Ob Sublimierung auch bei »freier« Sexualentwicklung möglich ist – diese Frage wird die psychoanalytische Kulturtheorie von da an nicht mehr loslassen.

Wenn wir zum Schluß versuchen, durch uns selbst auf die *Drei Abhandlungen* zu blicken, werden wir feststellen können: Die Psychoanalyse sagt uns nicht, was wir sexuell sein oder tun sollen. Aber sie zerlegt das Hochzusammengesetzte, das wir nun einmal das Sexuelle nennen, auf eine so schöne Art in seine Bestandteile, daß wir uns in diesen Bestandteilen besser erkennen und lieben können.

---

32 Martin Dannecker und Reimut Reiche, *Der gewöhnliche Homosexuelle*; Eine soziologische Untersuchung, S. Fischer Verlag, Frankfurt am Main 1974.

DREI ABHANDLUNGEN
ZUR SEXUALTHEORIE

(1905)

Der Verfasser, der sich über die Lücken und Dunkelheiten dieser kleinen Schrift nicht täuscht, hat doch der Versuchung widerstanden, die Forschungsergebnisse der letzten fünf Jahre in sie einzutragen und dabei ihren einheitlichen dokumentarischen Charakter zu zerstören. Er bringt also den ursprünglichen Wortlaut mit geringen Abänderungen wieder und begnügt sich mit dem Zusatze einiger Fußnoten, die sich von den älteren Anmerkungen durch das vorgesetzte Zeichen * unterscheiden.[1] Im übrigen ist es sein sehnlicher Wunsch, daß dieses Buch rasch veralten möge, indem das Neue, was es einst gebracht, allgemein angenommen und das Unzulängliche, das sich in ihm findet, durch Richtigeres ersetzt wird.

Wien, im Dezember 1909

---

1 [Diese Markierung wurde in allen folgenden Auflagen wieder weggelassen.]

VORWORT ZUR DRITTEN AUFLAGE

Nachdem ich durch ein Jahrzehnt Aufnahme und Wirkung dieses Buches beobachtet, möchte ich dessen dritte Auflage mit einigen Vorbemerkungen versehen, die gegen Mißverständnisse und unerfüllbare Ansprüche an dasselbe gerichtet sind. Es sei also vor allem betont, daß die Darstellung hierin durchweg von der alltäglichen ärztlichen Erfahrung ausgeht, welche durch die Ergebnisse der psychoanalytischen Untersuchung vertieft und wissenschaftlich bedeutsam gemacht werden soll. Die drei »Abhandlungen zur Sexualtheorie« können nichts anderes enthalten, als was die Psychoanalyse anzunehmen nötigt oder zu bestätigen gestattet. Es ist darum ausgeschlossen, daß sie sich jemals zu einer »Sexualtheorie« erweitern ließen, und begreiflich, daß sie zu manchen wichtigen Problemen des Sexuallebens überhaupt nicht Stellung nehmen. Man wolle aber darum nicht glauben, daß diese übergangenen Kapitel des großen Themas dem Autor unbekannt geblieben sind oder von ihm als nebensächlich vernachlässigt wurden.

Die Abhängigkeit dieser Schrift von den psychoanalytischen Erfahrungen, die zu ihrer Abfassung angeregt haben, zeigt sich aber nicht nur in der Auswahl, sondern auch in der Anordnung des Stoffes. Überall wird ein gewisser Instanzenzug eingehalten, werden die akzidentellen Momente vorangestellt, die dispositionellen im Hintergrunde gelassen und wird die ontogenetische Entwicklung vor der phylogenetischen berücksichtigt. Das Akzidentelle spielt nämlich die Hauptrolle in der Analyse, es wird durch sie fast restlos bewältigt; das Dispositionelle kommt erst hinter ihm zum Vorschein als etwas, was durch das Erleben geweckt wird, dessen Würdigung aber weit über das Arbeitsgebiet der Psychoanalyse hinausführt.

Ein ähnliches Verhältnis beherrscht die Relation zwischen Onto- und Phylogenese. Die Ontogenese kann als eine Wiederholung der Phylogenese angesehen werden, soweit diese nicht durch ein rezenteres Erleben abgeändert wird. Die phylogenetische Anlage macht sich hinter dem ontogenetischen Vorgang bemerkbar. Im Grunde aber ist die Disposition eben der Niederschlag eines früheren Erlebens der Art, zu welchem das neuere Erleben des Einzelwesens als Summe der akzidentellen Momente hinzukommt.

Neben der durchgängigen Abhängigkeit von der psychoanalytischen Forschung muß ich die vorsätzliche Unabhängigkcit von der biologischen Forschung als Charakter dieser meiner Arbeit hervorheben. Ich habe es sorgfältig vermieden, wissenschaftliche Erwartungen aus der allgemeinen Sexualbiologie oder aus der spezieller Tierarten in das Studium einzutragen, welches uns an der Sexualfunktion des Menschen durch die Technik der Psychoanalyse ermöglicht wird. Mein Ziel war allerdings zu erkunden, wieviel zur Biologie des menschlichen Sexuallebens mit den Mitteln der psychologischen Erforschung zu erraten ist; ich durfte auf Anschlüsse und Übereinstimmungen hinweisen, die sich bei dieser Untersuchung ergaben, aber ich brauchte mich nicht beirren zu lassen, wenn die psychoanalytische Methode in manchen wichtigen Punkten zu Ansichten und Ergebnissen führte, die von den bloß biologisch gestützten erheblich abwichen.

Ich habe in dieser dritten Auflage reichliche Einschaltungen vorgenommen, aber darauf verzichtet, dieselben wie in der vorigen Auflage durch besondere Zeichen kenntlich zu machen. – Die wissenschaftliche Arbeit auf unserem Gebiete hat gegenwärtig ihre Fortschritte verlangsamt, doch waren gewisse Ergänzungen dieser Schrift unentbehrlich, wenn sie mit der neueren psychoanalytischen Literatur in Fühlung bleiben sollte.

Wien, im Oktober 1914

VORWORT ZUR VIERTEN AUFLAGE

Nachdem die Fluten der Kriegszeit sich verzogen haben, darf man mit Befriedigung feststellen, daß das Interesse für die psychoanalytische Forschung in der großen Welt ungeschädigt geblieben ist. Doch haben nicht alle Teile der Lehre das gleiche Schicksal erfahren. Die rein psychologischen Aufstellungen und Ermittlungen der Psychoanalyse über das Unbewußte, die Verdrängung, den Konflikt, der zur Krankheit führt, den Krankheitsgewinn, die Mechanismen der Symptombildung u. a. erfreuen sich wachsender Anerkennung und finden selbst bei prinzipiellen Gegnern Beachtung. Das an die Biologie angrenzende Stück der Lehre, dessen Grundlage in dieser kleinen Schrift gegeben wird, ruft noch immer unverminderten Widerspruch hervor und hat selbst Personen, die sich eine Zeitlang intensiv mit der Psychoanalyse beschäftigt hatten, zum Abfall von ihr und zu neuen Auffassungen bewogen, durch welche die Rolle des sexuellen Moments für das normale und krankhafte Seelenleben wieder eingeschränkt werden sollte.

Ich kann mich trotzdem nicht zur Annahme entschließen, daß dieser Teil der psychoanalytischen Lehre sich von der zu erratenden Wirklichkeit viel weiter entfernen könnte als der andere. Erinnerung und immer wieder von neuem wiederholte Prüfung sagen mir, daß er aus ebenso sorgfältiger und erwartungsloser Beobachtung hervorgegangen ist, und die Erklärung jener Dissoziation in der öffentlichen Anerkennung bereitet keine Schwierigkeiten. Erstens können nur solche Forscher die hier beschriebenen Anfänge des menschlichen Sexuallebens bestätigen, die Geduld und technisches Geschick genug besitzen, um die Analyse bis in die ersten Kindheitsjahre des Patienten vorzutragen. Es fehlt häufig auch an der Möglichkeit hiezu, da das ärztliche Handeln eine scheinbar raschere Erledigung des Krankheitsfalles verlangt. Andere aber als Ärzte, welche die Psychoanalyse üben, haben überhaupt keinen Zugang zu diesem Gebiet und keine Möglichkeit, sich ein Urteil zu bilden, das der Beeinflussung durch ihre eigenen Abneigungen und Vorurteile entzogen wäre. Verstünden es die Menschen, aus der direkten Beobachtung der Kinder zu lernen, so hätten diese drei Abhandlungen überhaupt ungeschrieben bleiben können.

Dann aber muß man sich daran erinnern, daß einiges vom Inhalt dieser Schrift, die Betonung der Bedeutung des Sexuallebens für alle menschlichen Leistungen und die hier versuchte Erweiterung des Begriffes der Sexualität, von jeher die stärksten Motive für den Widerstand gegen die Psychoanalyse abgegeben hat. In dem Bedürfnis nach volltönenden Schlagworten ist man soweit gegangen, von dem »Pansexualismus« der Psychoanalyse zu reden und ihr den unsinnigen Vorwurf zu machen, sie erkläre »alles« aus der Sexualität. Man könnte sich darüber verwundern, wenn man imstande wäre, an die verwirrende und vergeßlich machende Wirkung affektiver Momente selbst zu vergessen. Denn der Philosoph Arthur Schopenhauer hat bereits vor geraumer Zeit den Menschen vorgehalten, in welchem Maß ihr Tun und Trachten durch sexuelle Strebungen – im gewohnten Sinne des Wortes – bestimmt wird, und eine Welt von Lesern sollte doch unfähig gewesen sein, sich eine so packende Mahnung so völlig aus dem Sinne zu schlagen! Was aber die »Ausdehnung« des Begriffes der Sexualität betrifft, die durch die Analyse von Kindern und von sogenannten Perversen notwendig wird, so mögen alle, die von ihrem höheren Standpunkt verächtlich auf die Psychoanalyse herabschauen, sich erinnern lassen, wie nahe die erweiterte Sexualität der Psychoanalyse mit dem Eros des göttlichen Plato zusammentrifft. (S. Nachmansohn, Freuds Libidotheorie verglichen mit der Eroslehre Platos, Intern. Zeitschr. f. Psychoanalyse, III., 1915.)

Wien, im Mai 1920

I
DIE SEXUELLEN ABIRRUNGEN[1]

Die Tatsache geschlechtlicher Bedürfnisse bei Mensch und Tier drückt man in der Biologie durch die Annahme eines »Geschlechtstriebes« aus. Man folgt dabei der Analogie mit dem Trieb nach Nahrungsaufnahme, dem Hunger. Eine dem Wort »Hunger« entsprechende Bezeichnung fehlt der Volkssprache; die Wissenschaft gebraucht als solche »*Libido*«.[2]

Die populäre Meinung macht sich ganz bestimmte Vorstellungen von der Natur und den Eigenschaften dieses Geschlechtstriebes. Er soll der Kindheit fehlen, sich um die Zeit und im Zusammenhang mit dem Reifungsvorgang der Pubertät einstellen, sich in den Erscheinungen unwiderstehlicher Anziehung äußern, die das eine Geschlecht auf das andere ausübt, und sein Ziel soll die geschlechtliche Vereinigung sein oder wenigstens solche Handlungen, welche auf dem Wege zu dieser liegen.

Wir haben aber allen Grund, in diesen Angaben ein sehr ungetreues Abbild der Wirklichkeit zu erblicken; faßt man sie schärfer ins Auge, so erweisen sie sich überreich an Irrtümern, Ungenauigkeiten und Voreiligkeiten.

Führen wir zwei Termini ein: heißen wir die Person, von welcher die geschlechtliche Anziehung ausgeht, das *Sexualobjekt*, die

---

1 Die in der ersten Abhandlung enthaltenen Angaben sind aus den bekannten Publikationen von v. Krafft-Ebing, Moll, Moebius, Havelock Ellis, v. Schrenck-Notzing, Löwenfeld, Eulenburg, I. Bloch, M. Hirschfeld und aus den Arbeiten in dem vom letzteren herausgegebenen »Jahrbuch für sexuelle Zwischenstufen« geschöpft. Da an diesen Stellen auch die übrige Literatur des Themas aufgeführt ist, habe ich mir detaillierte Nachweise ersparen können. – Die durch psychoanalytische Untersuchung Invertierter gewonnenen Einsichten ruhen auf Mitteilungen von I. Sadger und auf eigener Erfahrung.

2 Das einzig angemessene Wort der deutschen Sprache »Lust« ist leider vieldeutig und benennt ebensowohl die Empfindung des Bedürfnisses als die der Befriedigung.

37

Handlung, nach welcher der Trieb drängt, das *Sexualziel*, so weist uns die wissenschaftlich gesichtete Erfahrung zahlreiche Abweichungen in bezug auf beide, Sexualobjekt und Sexualziel, nach, deren Verhältnis zur angenommenen Norm eingehende Untersuchung fordert.

1) Abweichungen in bezug auf das Sexualobjekt

Der populären Theorie des Geschlechtstriebes entspricht am schönsten die poetische Fabel von der Teilung des Menschen in zwei Hälften – Mann und Weib –, die sich in der Liebe wieder zu vereinigen streben. Es wirkt darum wie eine große Überraschung zu hören, daß es Männer gibt, für die nicht das Weib, sondern der Mann, Weiber, für die nicht der Mann, sondern das Weib das Sexualobjekt darstellt. Man heißt solche Personen Konträrsexuale oder besser Invertierte, die Tatsache die der *Inversion*. Die Zahl solcher Personen ist sehr erheblich, wiewohl deren sichere Ermittlung Schwierigkeiten unterliegt.[1]

A) Die Inversion

Verhalten der Invertierten Die betreffenden Personen verhalten sich nach verschiedenen Richtungen ganz verschieden.

a) Sie sind *absolut* invertiert, das heißt ihr Sexualobjekt kann nur gleichgeschlechtlich sein, während das gegensätzliche Geschlecht für sie niemals Gegenstand der geschlechtlichen Sehnsucht ist, sondern sie kühl läßt oder selbst sexuelle Abneigung bei ihnen hervorruft. Als Männer sind sie dann durch Abneigung unfähig, den normalen Geschlechtsakt auszuführen, oder vermissen bei dessen Ausführung jeden Genuß.

---

1 Vergleiche über diese Schwierigkeiten sowie über Versuche, die Verhältniszahl der Invertierten zu eruieren, die Arbeit von M. Hirschfeld im »Jahrbuch für sexuelle Zwischenstufen« 1904.

b) Sie sind *amphigen invertiert* (psychosexuell-hermaphroditisch), das heißt ihr Sexualobjekt kann ebensowohl dem gleichen wie dem anderen Geschlecht angehören; der Inversion fehlt also der Charakter der Ausschließlichkeit.

c) Sie sind *okkasionell* invertiert, das heißt unter gewissen äußeren Bedingungen, von denen die Unzugänglichkeit des normalen Sexualobjektes und die Nachahmung obenan stehen, können sie eine Person des gleichen Geschlechtes zum Sexualobjekt nehmen und im Sexualakt mit ihr Befriedigung empfinden.

Die Invertierten zeigen ferner ein mannigfaltiges Verhalten in ihrem Urteil über die Besonderheit ihres Geschlechtstriebes. Die einen nehmen die Inversion als selbstverständlich hin wie der Normale die Richtung seiner Libido und vertreten mit Schärfe deren Gleichberechtigung mit der normalen. Andere aber lehnen sich gegen die Tatsache ihrer Inversion auf und empfinden dieselbe als krankhaften Zwang.[1]

Weitere Variationen betreffen die zeitlichen Verhältnisse. Die Eigentümlichkeit der Inversion datiert bei dem Individuum entweder von jeher, soweit seine Erinnerung zurückreicht, oder dieselbe hat sich ihm erst zu einer bestimmten Zeit vor oder nach der Pubertät bemerkbar gemacht.[2] Der Charakter bleibt entweder durchs ganze Leben erhalten oder tritt zeitweise zurück oder stellt eine Episode auf dem Wege zur normalen Entwicklung dar; ja er kann sich erst spät im Leben nach Ablauf einer langen Periode normaler Sexualtätigkeit äußern. Auch ein periodisches Schwanken zwischen dem normalen und dem invertierten Sexualobjekt ist beob-

---

1 Ein solches Sträuben gegen den Zwang zur Inversion könnte die Bedingung der Beeinflußbarkeit durch Suggestivbehandlung oder Psychoanalyse abgeben.

2 Es ist von mehreren Seiten mit Recht betont worden, daß die autobiographischen Angaben der Invertierten über das zeitliche Auftreten der Inversionsneigung unzuverlässig sind, da dieselben die Beweise für ihr heterosexuelles Empfinden aus ihrem Gedächtnis verdrängt haben könnten. – Die Psychoanalyse hat diesen Verdacht für die ihr zugänglich gewordenen Fälle von Inversion bestätigt und deren Anamnese durch die Ausfüllung der Kindheitsamnesie in entscheidender Weise verändert.

achtet worden. Besonders interessant sind Fälle, in denen sich die Libido im Sinne der Inversion ändert, nachdem eine peinliche Erfahrung mit dem normalen Sexualobjekt gemacht worden ist.

Diese verschiedenen Reihen von Variationen bestehen im allgemeinen unabhängig nebeneinander. Von der extremsten Form kann man etwa regelmäßig annehmen, daß die Inversion seit sehr früher Zeit bestanden hat und daß die Person sich mit ihrer Eigentümlichkeit einig fühlt.

Viele Autoren würden sich weigern, die hier aufgezählten Fälle zu einer Einheit zusammenzufassen, und ziehen es vor, die Unterschiede anstatt der Gemeinsamen dieser Gruppen zu betonen, was mit der von ihnen beliebten Beurteilung der Inversion zusammenhängt. Allein so berechtigt Sonderungen sein mögen, so ist doch nicht zu verkennen, daß alle Zwischenstufen reichlich aufzufinden sind, so daß die Reihenbildung sich gleichsam von selbst aufdrängt.

Auffassung der Inversion Die erste Würdigung der Inversion bestand in der Auffassung, sie sei ein angeborenes Zeichen nervöser Degeneration, und war im Einklange mit der Tatsache, daß die ärztlichen Beobachter zuerst bei Nervenkranken oder Personen, die solchen Eindruck machten, auf sie gestoßen waren. In dieser Charakteristik sind zwei Angaben enthalten, die unabhängig voneinander beurteilt werden sollen: das Angeborensein und die Degeneration.

Degeneration Die Degeneration unterliegt den Einwänden, die sich gegen die wahllose Verwendung des Wortes überhaupt erheben. Es ist doch Sitte geworden, jede Art von Krankheitsäußerung, die nicht gerade traumatischen oder infektiösen Ursprunges ist, der Degeneration zuzurechnen. Die Magnansche Einteilung der Degenerierten hat es selbst ermöglicht, daß die vorzüglichste Allgemeingestaltung der Nervenleistung die Anwendbarkeit des Begriffes Degeneration nicht auszuschließen braucht. Unter solchen Umständen darf man fragen, welchen Nutzen und welchen neuen Inhalt das Urteil »Degeneration« überhaupt noch besitzt. Es scheint zweckmäßiger, von Degeneration nicht zu sprechen:

1) wo nicht mehrere schwere Abweichungen von der Norm zusammentreffen;

2) wo nicht Leistungs- und Existenzfähigkeit im allgemeinen schwer geschädigt erscheinen.[1]

Daß die Invertierten nicht Degenerierte in diesem berechtigten Sinne sind, geht aus mehreren Tatsachen hervor:

1) Man findet die Inversion bei Personen, die keine sonstigen schweren Abweichungen von der Norm zeigen;

2) desgleichen bei Personen, deren Leistungsfähigkeit nicht gestört ist, ja die sich durch besonders hohe intellektuelle Entwicklung und ethische Kultur auszeichnen.[2]

3) Wenn man von den Patienten seiner ärztlichen Erfahrung absieht und einen weiteren Gesichtskreis zu umfassen strebt, stößt man nach zwei Richtungen auf Tatsachen, welche die Inversion als Degenerationszeichen aufzufassen verbieten.

a) Man muß Wert darauf legen, daß die Inversion eine häufige Erscheinung, fast eine mit wichtigen Funktionen betraute Institution bei den alten Völkern auf der Höhe ihrer Kultur war;

b) man findet sie ungemein verbreitet bei vielen wilden und primitiven Völkern, während man den Begriff der Degeneration auf die hohe Zivilisation zu beschränken gewohnt ist (I. Bloch); selbst unter den zivilisierten Völkern Europas haben Klima und Rasse auf die Verbreitung und die Beurteilung der Inversion den mächtigsten Einfluß.[3]

---

1 Mit welchen Vorbehalten die Diagnose auf Degeneration zu stellen ist und welch geringe praktische Bedeutung ihr zukommt, kann man aus den Ausführungen von Moebius (Über Entartung. Grenzfragen des Nerven- und Seelenlebens. Nr. III, 1900) entnehmen: »Überblickt man nun das weite Gebiet der Entartung, auf das hier einige Schlaglichter geworfen worden sind, so sieht man ohneweiters ein, daß es sehr geringen Wert hat, Entartung überhaupt zu diagnostizieren.«

2 Es muß den Wortführern des »Uranismus« zugestanden werden, daß einige der hervorragendsten Männer, von denen wir überhaupt Kunde haben, Invertierte, vielleicht sogar absolut Invertierte waren.

3 In der Auffassung der Inversion sind die pathologischen Gesichtspunkte von anthropologischen abgelöst worden. Diese Wandlung bleibt das Verdienst von I. Bloch (Beiträge zur Ätiologie der Psychopathia sexualis. 2 Teile, 1902/3), welcher Autor auch die Tatsache der Inversion bei den alten Kulturvölkern nachdrücklich zur Geltung gebracht hat.

Ange-
borensein

Das Angeborensein ist, wie begreiflich, nur für die erste, extremste Klasse der Invertierten behauptet worden, und zwar auf Grund der Versicherung dieser Personen, daß sich bei ihnen zu keiner Zeit des Lebens eine andere Richtung des Sexualtriebes gezeigt habe. Schon das Vorkommen der beiden anderen Klassen, speziell der dritten, ist schwer mit der Auffassung eines angeborenen Charakters zu vereinen. Daher die Neigung der Vertreter dieser Ansicht, die Gruppe der absolut Invertierten von allen anderen abzulösen, was den Verzicht auf eine allgemein gültige Auffassung der Inversion zur Folge hat. Die Inversion wäre demnach in einer Reihe von Fällen ein angeborener Charakter; in anderen könnte sie auf andere Art entstanden sein.

Den Gegensatz zu dieser Auffassung bildet die andere, daß die Inversion ein *erworbener* Charakter des Geschlechtstriebes sei. Sie stützt sich darauf, daß

1) bei vielen (auch absolut) Invertierten ein frühzeitig im Leben einwirkender sexueller Eindruck nachweisbar ist, als dessen fortdauernde Folge sich die homosexuelle Neigung darstellt,

2) daß bei vielen anderen sich die äußeren begünstigenden und hemmenden Einflüsse des Lebens aufzeigen lassen, die zu einer früheren oder späteren Zeit zur Fixierung der Inversion geführt haben (ausschließlicher Verkehr mit dem gleichen Geschlecht, Gemeinschaft im Kriege, Detention in Gefängnissen, Gefahren des heterosexuellen Verkehrs, Zölibat, geschlechtliche Schwäche usw.),

3) daß die Inversion durch hypnotische Suggestion aufgehoben werden kann, was bei einem angeborenen Charakter Wunder nehmen würde.

Vom Standpunkt dieser Anschauung kann man die Sicherheit des Vorkommens einer angeborenen Inversion überhaupt bestreiten. Man kann einwenden (Havelock Ellis), daß ein genaueres Examen der für angeborene Inversion in Anspruch genommenen Fälle wahrscheinlich gleichfalls ein für die Richtung der Libido bestimmendes Erlebnis der frühen Kindheit zutage fördern würde, welches bloß im bewußten Gedächtnis der Person nicht bewahrt worden ist, aber durch geeignete Beeinflussung zur Erinnerung gebracht werden könnte. Die Inversion könnte man nach diesen Autoren nur als eine häufige Variation des Geschlechtstriebes bezeichnen, die durch eine Anzahl äußerer Lebensumstände bestimmt werden kann.

Der scheinbar so gewonnenen Sicherheit macht aber die Gegenbemerkung ein Ende, daß nachweisbar viele Personen die nämlichen sexuellen Beeinflussungen (auch in früher Jugend: Verführung, mutuelle Onanie) erfahren, ohne durch sie invertiert zu werden oder dauernd so zu bleiben. So wird man zur Vermutung gedrängt, daß die Alternative angeboren – erworben entweder unvollständig ist oder die bei der Inversion vorliegenden Verhältnisse nicht deckt.

Weder mit der Annahme, die Inversion sei angeboren, noch mit der anderen, sie werde erworben, ist das Wesen der Inversion erklärt. Im ersten Falle muß man sich äußern, was an ihr angeboren ist, wenn man sich nicht der rohesten Erklärung anschließt, daß eine Person die Verknüpfung des Sexualtriebes mit einem bestimmten Sexualobjekt angeboren mitbringt. Im anderen Falle fragt es sich, ob die mannigfachen akzidentellen Einflüsse hinreichen, die Erwerbung zu erklären, ohne daß ihnen etwas an dem Individuum entgegenkommen müsse. Die Verneinung dieses letzten Momentes ist nach unseren früheren Ausführungen unstatthaft.

Erklärung der Inversion

Zur Erklärung der Möglichkeiten einer sexuellen Inversion ist seit Frank Lydstone, Kiernan und Chevalier eine Gedankenreihe herangezogen worden, welche einen neuen Widerspruch gegen die populäre Meinung enthält. Dieser gilt ein Mensch entweder als Mann oder als Weib. Die Wissenschaft kennt aber Fälle, in denen die Geschlechtscharaktere verwischt erscheinen und somit die Geschlechtsbestimmung erschwert wird; zunächst auf anatomischem Gebiet. Die Genitalien dieser Personen vereinigen männliche und weibliche Charaktere (Hermaphroditismus). In seltenen Fällen sind nebeneinander beiderlei Geschlechtsapparate ausgebildet (wahrer Hermaphroditismus); zu allermeist findet man beiderseitige Verkümmerung.[1]

Heranziehung der Bisexualität

Das Bedeutsame an diesen Abnormitäten ist aber, daß sie in uner-

---

[1] Vergleiche die letzten ausführlichen Darstellungen des somatischen Hermaphroditismus: Taruffi, Hermaphroditismus und Zeugungsunfähigkeit, Deutsche Ausgabe von R. Teuscher, 1903, und die Arbeiten von Neugebauer in mehreren Bänden des Jahrbuches für sexuelle Zwischenstufen.

warteter Weise das Verständnis der normalen Bildung erleichtern. Ein gewisser Grad von anatomischem Hermaphroditismus gehört nämlich der Norm an; bei keinem normal gebildeten männlichen oder weiblichen Individuum werden die Spuren vom Apparat des anderen Geschlechtes vermißt, die entweder funktionslos als rudimentäre Organe fortbestehen oder selbst zur Übernahme anderer Funktionen umgebildet worden sind.

Die Auffassung, die sich aus diesen lange bekannten anatomischen Tatsachen ergibt, ist die einer ursprünglich bisexuellen Veranlagung, die sich im Laufe der Entwicklung bis zur Monosexualität mit geringen Resten des verkümmerten Geschlechtes verändert.

Es lag nahe, diese Auffassung aufs psychische Gebiet zu übertragen und die Inversion in ihren Abarten als Ausdruck eines psychischen Hermaphroditismus zu verstehen. Um die Frage zu entscheiden, bedurfte es nur noch eines regelmäßigen Zusammentreffens der Inversion mit den seelischen und somatischen Zeichen des Hermaphroditismus.

Allein diese nächste Erwartung schlägt fehl. So nahe darf man sich die Beziehungen zwischen dem angenommenen psychischen und dem nachweisbaren anatomischen Zwittertum nicht vorstellen. Was man bei den Invertierten findet, ist häufig eine Herabsetzung des Geschlechtstriebes überhaupt (Havelock Ellis) und leichte anatomische Verkümmerung der Organe. Häufig, aber keineswegs regelmäßig oder auch nur überwiegend. Somit muß man erkennen, daß Inversion und somatischer Hermaphroditismus im ganzen unabhängig voneinander sind.

Man hat ferner großen Wert auf die sogenannten sekundären und tertiären Geschlechtscharaktere gelegt und deren gehäuftes Vorkommen bei den Invertierten betont (H. Ellis). Auch daran ist vieles zutreffend, aber man darf nicht vergessen, daß die sekundären und tertiären Geschlechtscharaktere überhaupt recht häufig beim anderen Geschlecht auftreten und so Andeutungen von Zwittertum herstellen, ohne daß dabei das Sexualobjekt sich im Sinne einer Inversion abgeändert zeigte.

Der psychische Hermaphroditismus würde an Leibhaftigkeit gewinnen, wenn mit der Inversion des Sexualobjektes wenigstens ein Umschlag der sonstigen seelischen Eigenschaften, Triebe und Charakterzüge in die fürs andere Geschlecht bezeichnende Abänderung parallel liefe. Allein eine solche Charakterinversion darf man mit einiger Regelmäßigkeit nur bei den invertierten Frauen erwarten, bei den Männern ist die vollste seelische Männlichkeit mit der Inversion vereinbar. Hält man an der Aufstellung eines seelischen Hermaphroditismus fest, so muß man hinzufügen, daß dessen Äußerungen auf verschiedenen Gebieten eine nur geringe gegenseitige Bedingtheit erkennen lassen. Das gleiche gilt übrigens auch für das somatische Zwittertum; nach Halban[1] sind auch die einzelnen Organverkümmerungen und sekundären Geschlechtscharaktere in ihrem Auftreten ziemlich unabhängig voneinander.

Die Bisexualitätslehre ist in ihrer rohesten Form von einem Wortführer der männlichen Invertierten ausgesprochen worden: weibliches Gehirn im männlichen Körper. Allein wir kennen die Charaktere eines »weiblichen Gehirns« nicht. Der Ersatz des psychologischen Problems durch das anatomische ist ebenso müßig wie unberechtigt. Der Erklärungsversuch v. Krafft-Ebings scheint exakter gefaßt als der Ulrichs', ist aber im Wesen von ihm nicht verschieden; v. Krafft-Ebing meint, daß die bisexuelle Anlage dem Individuum ebenso männliche und weibliche Gehirnzentren mitgibt wie somatische Geschlechtsorgane. Diese Zentren entwickeln sich erst zur Zeit der Pubertät, zumeist unter dem Einflusse der von ihnen in der Anlage unabhängigen Geschlechtsdrüse. Von den männlichen und weiblichen »Zentren« gilt aber dasselbe wie vom männlichen und weiblichen Gehirn, und nebenbei wissen wir nicht einmal, ob wir für die Geschlechtsfunktionen abgegrenzte Gehirnstellen (»Zentren«) wie etwa für die Sprache annehmen dürfen.[2]

---

1 J. Halban, Die Entstehung der Geschlechtscharaktere. Archiv für Gynäkologie. Bd. 70, 1903. Siehe dort auch die Literatur des Gegenstandes.

2 Der erste, der zur Erklärung der Inversion die Bisexualität herangezogen, soll (nach einem Literaturbericht im sechsten Band des Jahrbuches für sexuelle Zwischenstufen) E. Gley gewesen sein, der einen Aufsatz (Les aberrations de l'instinct sexuel) schon im Jänner 1884 in der »Revue philosophique« veröffentlichte. – Es ist übrigens bemerkenswert, daß die Mehrzahl der Autoren, welche die Inversion auf Bisexualität zurückführen, dieses Moment nicht allein für die Invertierten, sondern für alle Normalgewordenen zur Geltung bringen und folgerichtig die Inversion als das Ergebnis einer Entwicklungsstö-

Zwei Gedanken bleiben nach diesen Erörterungen immerhin bestehen: daß auch für die Inversion eine bisexuelle Veranlagung in Betracht kommt, nur daß wir nicht wissen, worin diese Anlage über die anatomische Gestaltung hinaus besteht, und daß es sich um Störungen handelt, welche den Geschlechtstrieb in seiner Entwicklung betreffen.

Sexualobjekt der Invertierten Die Theorie des psychischen Hermaphroditismus setzt voraus, daß das Sexualobjekt des Invertierten das dem normalen entgegengesetzte sei. Der invertierte Mann unterliege wie das Weib dem Zauber, der von den männlichen Eigenschaften des Körpers und der Seele ausgeht, er fühle sich selbst als Weib und suche den Mann.

Aber wiewohl dies für eine ganze Reihe von Invertierten zutrifft, so ist es doch weit entfernt, einen allgemeinen Charakter der Inversion zu verraten. Es ist kein Zweifel, daß ein großer Teil der männlichen Invertierten den psychischen Charakter der Männlichkeit

---

rung auffassen. So bereits Chevalier (Inversion sexuelle, 1893). Krafft-Ebing (Zur Erklärung der konträren Sexualempfindung, Jahrbücher für Psychiatrie und Neurologie, XIII. Bd.) spricht davon, daß eine Fülle von Beobachtungen bestehen, »aus denen sich mindestens die virtuelle Fortexistenz dieses zweiten Zentrums (des unterlegenen Geschlechtes) ergibt«. Ein Dr. Arduin (Die Frauenfrage und die sexuellen Zwischenstufen) stellt im zweiten Band des Jahrbuches für sexuelle Zwischenstufen 1900 die Behauptung auf: »daß in jedem Menschen männliche und weibliche Elemente vorhanden sind (vgl. dieses Jahrbuch, Bd. I, 1899: ›Die objektive Diagnose der Homosexualität‹ von Dr. M. Hirschfeld, S. 8–9 u. f.), nur – der Geschlechtszugehörigkeit entsprechend – die einen unverhältnismäßig stärker entwickelt als die anderen, soweit es sich um heterosexuelle Personen handelt...« – Für G. Herman (Genesis, das Gesetz der Zeugung, Bd. 5, Libido und Mania, 1903) steht es fest, »daß in jedem Weibe männliche, in jedem Manne weibliche Keime und Eigenschaften enthalten sind« usw. – 1906 hat dann W. Fließ (»Der Ablauf des Lebens«) einen Eigentumsanspruch auf die Idee der Bisexualität (im Sinne einer *Zweigeschlechtigkeit*) erhoben. – In nicht-fachlichen Kreisen wird die Aufstellung der menschlichen Bisexualität als eine Leistung des jung verstorbenen Philosophen O. Weininger betrachtet, der diese Idee zur Grundlage eines ziemlich unbesonnenen Buches (Geschlecht und Charakter, 1903) genommen hat. Die obenstehenden Nachweise mögen zeigen, wie wenig begründet dieser Anspruch ist.

bewahrt hat, verhältnismäßig wenig sekundäre Charaktere des anderen Geschlechtes an sich trägt und in seinem Sexualobjekt eigentlich weibliche psychische Züge sucht. Wäre dies anders, so bliebe es unverständlich, wozu die männliche Prostitution, die sich den Invertierten anbietet – heute wie im Altertum –, in allen Äußerlichkeiten der Kleidung und Haltung die Weiber kopiert; diese Nachahmung müßte ja sonst das Ideal der Invertierten beleidigen. Bei den Griechen, wo die männlichsten Männer unter den Invertierten erscheinen, ist es klar, daß nicht der männliche Charakter des Knaben, sondern seine körperliche Annäherung an das Weib sowie seine weiblichen seelischen Eigenschaften, Schüchternheit, Zurückhaltung, Lern- und Hilfsbedürftigkeit, die Liebe des Mannes entzündeten. Sobald der Knabe ein Mann wurde, hörte er auf, ein Sexualobjekt für den Mann zu sein, und wurde etwa selbst ein Knabenliebhaber. Das Sexualobjekt ist also in diesem Falle, wie in vielen anderen, nicht das gleiche Geschlecht, sondern die Vereinigung beider Geschlechtscharaktere, das Kompromiß etwa zwischen einer Regung, die nach dem Manne, und einer, die nach dem Weibe verlangt, mit der festgehaltenen Bedingung der Männlichkeit des Körpers (der Genitalien), sozusagen die Spiegelung der eigenen bisexuellen Natur.[1]

Eindeutiger sind die Verhältnisse beim Weibe, wo die aktiv Invertierten besonders häufig somatische und seelische Charaktere des

---

1 Die Psychoanalyse hat bisher zwar keine volle Aufklärung über die Herkunft der Inversion gebracht, aber doch den psychischen Mechanismus ihrer Entstehung aufgedeckt und die in Betracht kommenden Fragestellungen wesentlich bereichert. Wir haben bei allen untersuchten Fällen festgestellt, daß die später Invertierten in den ersten Jahren ihrer Kindheit eine Phase von sehr intensiver, aber kurzlebiger Fixierung an das Weib (meist an die Mutter) durchmachen, nach deren Überwindung sie sich mit dem Weib identifizieren und sich selbst zum Sexualobjekt nehmen, das heißt vom Narzißmus ausgehend jugendliche und der eigenen Person ähnliche Männer aufsuchen, die sie so lieben wollen, wie die Mutter sie geliebt hat. Wir haben ferner sehr häufig gefunden, daß angeblich Invertierte gegen den Reiz des Weibes keineswegs unempfindlich waren, sondern die durch das Weib hervorgerufene Erregung fortlaufend auf

Mannes an sich tragen und das Weibliche von ihrem Sexualobjekt verlangen, wiewohl auch hier sich bei näherer Kenntnis größere Buntheit herausstellen dürfte.

Sexualziel der Invertierten Die wichtige festzuhaltende Tatsache ist, daß das Sexualziel bei der Inversion keineswegs einheitlich genannt werden kann. Bei Männern fällt Verkehr per anum durchaus nicht mit Inversion zusammen; Masturbation ist ebenso häufig das ausschließliche Ziel, und Einschränkungen des Sexualzieles – bis zur bloßen Gefühlsergießung – sind hier sogar häufiger als bei der heterosexuellen Liebe. Auch bei Frauen sind die Sexualziele der Invertierten mannigfaltig; darunter scheint die Berührung mit der Mundschleimhaut bevorzugt.

Schlußfolgerung Wir sehen uns zwar außerstande, die Entstehung der Inversion aus dem bisher vorliegenden Material befriedigend aufzuklären, können aber merken, daß wir bei dieser Untersuchung zu einer Einsicht gelangt sind, die uns bedeutsamer werden kann als die Lösung der

---

ein männliches Objekt transponieren. Sie wiederholten so während ihres ganzen Lebens den Mechanismus, durch welchen ihre Inversion entstanden war. Ihr zwanghaftes Streben nach dem Manne erwies sich als bedingt durch ihre ruhelose Flucht vor dem Weibe.

Die psychoanalytische Forschung widersetzt sich mit aller Entschiedenheit dem Versuche, die Homosexuellen als eine besonders geartete Gruppe von den anderen Menschen abzutrennen. Indem sie auch andere als die manifest kundgegebenen Sexualerregungen studiert, erfährt sie, daß alle Menschen der gleichgeschlechtlichen Objektwahl fähig sind und dieselbe auch im Unbewußten vollzogen haben. Ja die Bindungen libidinöser Gefühle an Personen des gleichen Geschlechtes spielen als Faktoren im normalen Seelenleben keine geringere und als Motoren der Erkrankung eine größere Rolle als die, welche dem entgegengesetzten Geschlecht gelten. Der Psychoanalyse erscheint vielmehr die Unabhängigkeit der Objektwahl vom Geschlecht des Objektes, die gleich freie Verfügung über männliche und weibliche Objekte, wie sie im Kindesalter, in primitiven Zuständen und frühhistorischen Zeiten zu beobachten ist, als das Ursprüngliche, aus dem sich durch Einschränkung nach der einen oder der anderen Seite der normale wie der Inversionstypus entwickeln. Im Sinne der Psychoanalyse ist also auch das ausschließliche sexuelle Interesse des Mannes für das Weib ein der Aufklärung bedürftiges Problem und keine Selbstverständlichkeit, der eine im Grunde chemische Anziehung zu unterlegen ist. Die Entscheidung über das endgültige Sexualverhalten fällt erst nach

obigen Aufgabe. Wir werden aufmerksam gemacht, daß wir uns die Verknüpfung des Sexualtriebes mit dem Sexualobjekt als eine zu innige vorgestellt haben. Die Erfahrung an den für abnorm gehaltenen Fällen lehrt uns, daß hier zwischen Sexualtrieb und Sexualobjekt eine Verlötung vorliegt, die wir bei der Gleichförmigkeit der normalen Gestaltung, wo der Trieb das Objekt mitzubringen scheint, in Gefahr sind zu übersehen. Wir werden so angewiesen, die Verknüpfung zwischen Trieb und Objekt in unseren Gedanken zu lockern. Der Geschlechtstrieb ist wahrscheinlich zunächst unabhängig von seinem Objekt und verdankt wohl auch nicht den Reizen desselben seine Entstehung.

B) *Geschlechtsunreife und Tiere als Sexualobjekte*

Während die Personen, deren Sexualobjekte nicht dem normalerweise dazu geeigneten Geschlechte angehören, die Invertierten also,

---

der Pubertät und ist das Ergebnis einer noch nicht übersehbaren Reihe von Faktoren, die teils konstitutioneller, teils aber akzidenteller Natur sind. Gewiß können einzelne dieser Faktoren so übergroß ausfallen, daß sie das Resultat in ihrem Sinne beeinflussen. Im allgemeinen aber wird die Vielheit der bestimmenden Momente durch die Mannigfaltigkeit der Ausgänge im manifesten Sexualverhalten der Menschen gespiegelt. Bei den Inversionstypen ist durchwegs das Vorherrschen archaischer Konstitutionen und primitiver psychischer Mechanismen zu bestätigen. Die Geltung der *narzißtischen Objektwahl* und *die Festhaltung* der erotischen Bedeutung der *Analzone* erscheinen als deren wesentlichste Charaktere. Man gewinnt aber nichts, wenn man auf Grund solcher konstitutioneller Eigenheiten die extremsten Inversionstypen von den anderen sondert. Was sich bei diesen als anscheinend zureichende Begründung findet, läßt sich ebenso, nur in geringerer Stärke, in der Konstitution von Übergangstypen und bei manifest Normalen nachweisen. Die Unterschiede in den Ergebnissen mögen qualitativer Natur sein: die Analyse zeigt, daß die Unterschiede in den Bedingungen nur quantitative sind. Unter den akzidentellen Beeinflussungen der Objektwahl haben wir die Versagung (die frühzeitige Sexualeinschüchterung) bemerkenswert gefunden und sind auch darauf aufmerksam geworden, daß das Vorhandensein beider Elternteile eine wichtige Rolle spielt. Der Wegfall eines starken Vaters in der Kindheit begünstigt nicht selten die Inversion. Man darf endlich die Forderung aufstellen, daß die Inversion des Sexualobjektes von der Mischung der Geschlechtscharaktere

dem Beobachter als eine gesammelte Anzahl von sonst vielleicht vollwertigen Individuen entgegentreten, erscheinen die Fälle, in denen geschlechtsunreife Personen (Kinder) zu Sexualobjekten erkoren werden, von vornherein als vereinzelte Verirrungen. Nur ausnahmsweise sind Kinder die ausschließlichen Sexualobjekte; zumeist gelangen sie zu dieser Rolle, wenn ein feige und impotent gewordenes Individuum sich zu solchem Surrogat versteht oder ein impulsiver (unaufschiebbarer) Trieb sich zurzeit keines geeigneteren Objektes bemächtigen kann. Immerhin wirft es ein Licht auf die Natur des Geschlechtstriebes, daß er so viel Variation und solche Herabsetzung seines Objektes zuläßt, was der Hunger, der sein Objekt weit energischer festhält, nur im äußersten Falle gestatten würde. Eine ähnliche Bemerkung gilt für den besonders unter dem Landvolke gar nicht seltenen sexuellen Verkehr mit Tieren,

---

im Subjekt begrifflich strenge zu sondern ist. Ein gewisses Maß von Unabhängigkeit ist auch in dieser Relation unverkennbar.

Eine Reihe bedeutsamer Gesichtspunkte zur Frage der Inversion hat Ferenczi in einem Aufsatz: Zur Nosologie der männlichen Homosexualität (Homoerotik) (Intern. Zeitschr. f. PsA., II, 1914) vorgebracht. Ferenczi rügt mit Recht, daß man unter dem Namen »Homosexualität«, den er durch den besseren »Homoerotik« ersetzen will, eine Anzahl von sehr verschiedenen, in organischer wie in psychischer Hinsicht ungleichwertigen Zuständen zusammenwirft, weil sie das Symptom der Inversion gemeinsam haben. Er fordert scharfe Unterscheidung wenigstens zwischen den beiden Typen des *Subjekthomoerotikers*, der sich als Weib fühlt und benimmt, und des *Objekthomoerotikers*, der durchaus männlich ist und nur das weibliche Objekt gegen ein gleichgeschlechtliches vertauscht hat. Den ersteren anerkennt er als richtige »sexuelle Zwischenstufe« im Sinne von Magnus Hirschfeld, den zweiten bezeichnet er – minder glücklich – als Zwangsneurotiker. Das Sträuben gegen die Inversionsneigung sowie die Möglichkeit psychischer Beeinflussung kämen nur beim Objekthomoerotiker in Betracht. Auch nach Anerkennung dieser beiden Typen darf man hinzufügen, daß bei vielen Personen ein Maß von Subjekthomoerotik mit einem Anteil von Objekthomoerotik vermengt gefunden wird.

In den letzten Jahren haben Arbeiten von Biologen, in erster Linie die von Eugen Steinach, ein helles Licht auf die organischen Bedingungen der Homoerotik sowie der Geschlechtscharaktere überhaupt geworfen. Durch das experimentelle Verfahren der Kastration mit nachfolgender Ein-

wobei sich etwa die Geschlechtsanziehung über die Artschranke hinwegsetzt.

Aus ästhetischen Gründen möchte man gern diese wie andere schwere Verirrungen des Geschlechtstriebes den Geisteskranken zuweisen, aber dies geht nicht an. Die Erfahrung lehrt, daß man bei diesen letzteren keine anderen Störungen des Geschlechtstriebes beobachtet als bei Gesunden, ganzen Rassen und Ständen. So findet sich sexueller Mißbrauch von Kindern mit unheimlicher Häufigkeit bei Lehrern und Wartepersonen, bloß weil sich diesen die beste Gelegenheit dazu bietet. Die Geisteskranken zeigen die betreffende Verirrung nur etwa gesteigert oder, was besonders bedeutsam ist, zur Ausschließlichkeit erhoben und an Stelle der normalen Sexualbefriedigung gerückt.

Dieses sehr merkwürdige Verhältnis der sexuellen Variationen zur

---

pflanzung von Keimdrüsen des anderen Geschlechtes gelang es, bei verschiedenen Säugetierarten Männchen in Weibchen zu verwandeln und umgekehrt. Die Verwandlung betraf mehr oder minder vollständig die somatischen Geschlechtscharaktere und das psychosexuelle Verhalten (also Subjekt- und Objekterotik). Als Träger dieser geschlechtsbestimmenden Kraft wird nicht der Anteil der Keimdrüse betrachtet, welcher die Geschlechtszellen bildet, sondern das sogenannte interstitielle Gewebe des Organes (die »Pubertätsdrüse«).

In einem Falle gelang die geschlechtliche Umstimmung auch bei einem Manne, der seine Hoden durch tuberkulöse Erkrankung eingebüßt hatte. Er hatte sich im Geschlechtsleben als passiver Homosexueller weiblich benommen und zeigte sehr deutlich ausgeprägte weibliche Geschlechtscharaktere sekundärer Art (in Behaarung, Bartwuchs, Fettansatz an Mammae und Hüften). Nach der Einpflanzung eines kryptorchen Menschenhodens begann dieser Mann sich in männlicher Weise zu benehmen und seine Libido in normaler Weise aufs Weib zu richten. Gleichzeitig schwanden die somatischen femininen Charaktere. (A. Lipschütz, Die Pubertätsdrüse und ihre Wirkungen, Bern, 1919.)

Es wäre ungerechtfertigt zu behaupten, daß durch diese schönen Versuche die Lehre von der Inversion auf eine neue Basis gestellt wird, und voreilig von ihnen geradezu einen Weg zur allgemeinen »Heilung« der Homosexualität zu erwarten. W. Fließ hat mit Recht betont, daß diese experimentellen Erfahrungen die Lehre von der allgemeinen bisexuellen Anlage der höheren Tiere nicht entwerten. Es erscheint mir vielmehr wahrscheinlich, daß sich aus weiteren solchen Untersuchungen eine direkte Bestätigung der angenommenen Bisexualität ergeben wird.

Stufenleiter von der Gesundheit bis zur Geistesstörung gibt zu denken. Ich würde meinen, die zu erklärende Tatsache wäre ein Hinweis darauf, daß die Regungen des Geschlechtslebens zu jenen gehören, die auch normalerweise von den höheren Seelentätigkeiten am schlechtesten beherrscht werden. Wer in sonst irgendeiner Beziehung geistig abnorm ist, in sozialer, ethischer Hinsicht, der ist es nach meiner Erfahrung regelmäßig in seinem Sexualleben. Aber viele sind abnorm im Sexualleben, die in allen anderen Punkten dem Durchschnitt entsprechen, die menschliche Kulturentwicklung, deren schwacher Punkt die Sexualität bleibt, in ihrer Person mitgemacht haben.

Als allgemeinstes Ergebnis dieser Erörterungen würden wir aber die Einsicht herausgreifen, daß unter einer großen Anzahl von Bedingungen und bei überraschend viel Individuen die Art und der Wert des Sexualobjektes in den Hintergrund treten. Etwas anderes ist am Sexualtrieb das Wesentliche und Konstante.[1]

2) Abweichungen in bezug auf das Sexualziel

Als normales Sexualziel gilt die Vereinigung der Genitalien in dem als Begattung bezeichneten Akte, der zur Lösung der sexuellen Spannung und zum zeitweiligen Erlöschen des Sexualtriebes führt (Befriedigung analog der Sättigung beim Hunger). Doch sind bereits am normalsten Sexualvorgang jene Ansätze kenntlich, deren Ausbildung zu den Abirrungen führt, die man als *Perversionen* beschrieben hat. Es werden nämlich gewisse intermediäre (auf dem Wege zur Begattung liegende) Beziehungen zum Sexualobjekt, wie das Betasten und Beschauen desselben, als vorläufige Sexualziele anerkannt. Diese Betätigungen sind einerseits selbst mit Lust verbun-

---

1 Der eingreifendste Unterschied zwischen dem Liebesleben der Alten Welt und dem unsrigen liegt wohl darin, daß die Antike den Akzent auf den Trieb selbst, wir aber auf dessen Objekt verlegen. Die Alten feierten den Trieb und waren bereit, auch ein minderwertiges Objekt durch ihn zu adeln, während wir die Triebbetätigung an sich geringschätzen und sie nur durch die Vorzüge des Objekts entschuldigen lassen.

den, andererseits steigern sie die Erregung, welche bis zur Erreichung des endgültigen Sexualzieles andauern soll. Eine bestimmte dieser Berührungen, die der beiderseitigen Lippenschleimhaut, hat ferner als Kuß bei vielen Völkern (die höchstzivilisierten darunter) einen hohen sexuellen Wert erhalten, obwohl die dabei in Betracht kommenden Körperteile nicht dem Geschlechtsapparat angehören, sondern den Eingang zum Verdauungskanal bilden. Hiemit sind also Momente gegeben, welche die Perversionen an das normale Sexualleben anknüpfen lassen und auch zur Einteilung derselben verwendbar sind. Die Perversionen sind entweder *a)* anatomische *Überschreitungen* der für die geschlechtliche Vereinigung bestimmten Körpergebiete oder *b) Verweilungen* bei den intermediären Relationen zum Sexualobjekt, die normalerweise auf dem Wege zum endgültigen Sexualziel rasch durchschritten werden sollen.

a) Anatomische Überschreitungen

Die psychische Wertschätzung, deren das Sexualobjekt als Wunschziel des Sexualtriebes teilhaftig wird, beschränkt sich in den seltensten Fällen auf dessen Genitalien, sondern greift auf den ganzen Körper desselben über und hat die Tendenz, alle vom Sexualobjekt ausgehenden Sensationen mit einzubeziehen. Die gleiche Überschätzung strahlt auf das psychische Gebiet aus und zeigt sich als logische Verblendung (Urteilsschwäche) angesichts der seelischen Leistungen und Vollkommenheiten des Sexualobjektes sowie als gläubige Gefügigkeit gegen die von letzterem ausgehenden Urteile. Die Gläubigkeit der Liebe wird so zu einer wichtigen, wenn nicht zur uranfänglichen Quelle der Autorität.[1]

Diese Sexualüberschätzung ist es nun, welche sich mit der Einschränkung des Sexualzieles auf die Vereinigung der eigentlichen

Überschätzung des Sexualobjektes

---

1 Ich kann mir nicht versagen, hierbei an die gläubige Gefügigkeit der Hypnotisierten gegen ihren Hypnotiseur zu erinnern, welche mich vermuten läßt, daß das Wesen der Hypnose in die unbewußte Fixierung der Libido auf die Person des Hypnotiseurs (vermittels der masochistischen Komponente des Sexualtriebes) zu verlegen ist. – S. Ferenczi hat diesen Charakter der Suggerierbarkeit mit dem »Elternkomplex« verknüpft. (Jahrbuch für psychoanalyt. und psychopathol. Forschungen I, 1909.)

Genitalien so schlecht verträgt und Vornahmen an anderen Körperteilen zu Sexualzielen erheben hilft.[1]

Die Bedeutung des Moments der Sexualüberschätzung läßt sich am ehesten beim Manne studieren, dessen Liebesleben allein der Erforschung zugänglich geworden ist, während das des Weibes zum Teil infolge der Kulturverkümmerung, zum anderen Teil durch die konventionelle Verschwiegenheit und Unaufrichtigkeit der Frauen in ein noch undurchdringliches Dunkel gehüllt ist.[2]

Sexuelle Verwendung der Lippen-Mundschleimhaut

Die Verwendung des Mundes als Sexualorgan gilt als Perversion, wenn die Lippen (Zunge) der einen Person mit den Genitalien der anderen in Berührung gebracht werden, nicht aber, wenn beider Teile Lippenschleimhäute einander berühren. In letzterer Ausnahme liegt die Anknüpfung ans Normale. Wer die anderen wohl seit den Urzeiten der Menschheit gebräuchlichen Praktiken als Perversionen verabscheut, der gibt dabei einem deutlichen *Ekelgefühl* nach, welches ihn vor der Annahme eines solchen Sexualzieles schützt. Die Grenze dieses Ekels ist aber häufig rein konventionell; wer etwa mit Inbrunst die Lippen eines schönen Mädchens küßt, wird vielleicht das Zahnbürstchen desselben nur mit Ekel gebrauchen können, wenngleich kein Grund zur Annahme vorliegt, daß seine eigene Mundhöhle, vor der ihm nicht ekelt, reinlicher sei als die des Mädchens. Man wird hier auf das Moment des Ekels aufmerksam, welches der libidinösen Überschätzung des Sexualobjekts in den Weg tritt, seinerseits aber durch die Libido überwunden

---

1 Es ist indes zu bemerken, daß die Sexualüberschätzung nicht bei allen Mechanismen der Objektwahl ausgebildet wird und daß wir späterhin eine andere und direktere Erklärung für die sexuelle Rolle der anderen Körperteile kennenlernen werden. Das Moment des »Reizhungers«, das von Hoche und I. Bloch zur Erklärung des Übergreifens von sexuellem Interesse auf andere Körperteile als die Genitalien herangezogen wird, scheint mir diese Bedeutung nicht zu verdienen. Die verschiedenen Wege, auf denen die Libido wandelt, verhalten sich zueinander von Anfang an wie kommunizierende Röhren, und man muß dem Phänomen der Kollateralströmung Rechnung tragen.

2 Das Weib läßt in typischen Fällen eine »Sexualüberschätzung« des Mannes vermissen, versäumt dieselbe aber fast niemals gegen das von ihr geborene Kind.

werden kann. In dem Ekel möchte man eine der Mächte erblicken, welche die Einschränkung des Sexualzieles zustande gebracht haben. In der Regel machen diese vor den Genitalien selbst halt. Es ist aber kein Zweifel, daß auch die Genitalien des anderen Geschlechts an und für sich Gegenstand des Ekels sein können und daß dieses Verhalten zur Charakteristik aller Hysterischen (zumal der weiblichen) gehört. Die Stärke des Sexualtriebes liebt es, sich in der Überwindung dieses Ekels zu betätigen. (S. u.)

Klarer noch als im früheren Falle erkennt man bei der Inanspruchnahme des Afters, daß es der Ekel ist, welcher dieses Sexualziel zur Perversion stempelt. Man lege mir aber die Bemerkung nicht als Parteinahme aus, daß die Begründung dieses Ekels, diese Körperpartie diene der Exkretion und komme mit dem Ekelhaften an sich – den Exkrementen – in Berührung, nicht viel stichhältiger ist als etwa die Begründung, welche hysterische Mädchen für ihren Ekel vor dem männlichen Genitale abgeben: es diene der Harnentleerung.

Sexuelle Verwendung der Afteröffnung

Die sexuelle Rolle der Afterschleimhaut ist keineswegs auf den Verkehr zwischen Männern beschränkt, ihre Bevorzugung hat nichts für das invertierte Fühlen Charakteristisches. Es scheint im Gegenteil, daß die Pädikatio des Mannes ihre Rolle der Analogie mit dem Akt beim Weibe verdankt, während gegenseitige Masturbation das Sexualziel ist, welches sich beim Verkehr Invertierter am ehesten ergibt.

Das sexuelle Übergreifen auf andere Körperstellen bietet in all seinen Variationen nichts prinzipiell Neues, fügt nichts zur Kenntnis des Sexualtriebes hinzu, der hierin nur seine Absicht verkündet, sich des Sexualobjekts nach allen Richtungen zu bemächtigen. Neben der Sexualüberschätzung meldet sich aber bei den anatomischen Überschreitungen ein zweites, der populären Kenntnis fremdartiges Moment. Gewisse Körperstellen, wie die Mund- und Afterschleimhaut, die immer wieder in diesen Praktiken auftreten, erheben gleichsam den Anspruch, selbst als Genitalien betrachtet und behandelt zu werden. Wir werden hören, wie dieser Anspruch durch die Entwicklung des Sexualtriebes gerechtfertigt und wie er in der Symptomatologie gewisser Krankheitszustände erfüllt wird.

Bedeutung anderer Körperstellen

Unge-
eigneter
Ersatz des
Sexual-
objektes –
Fetischis-
mus

Einen ganz besonderen Eindruck ergeben jene Fälle, in denen das normale Sexualobjekt ersetzt wird durch ein anderes, das zu ihm in Beziehung steht, dabei aber völlig ungeeignet ist, dem normalen Sexualziel zu dienen. Wir hätten nach den Gesichtspunkten der Einteilung wohl besser getan, diese höchst interessante Gruppe von Abirrungen des Sexualtriebes schon bei den Abweichungen in bezug auf das Sexualobjekt zu erwähnen, verschoben es aber, bis wir das Moment der *Sexualüberschätzung* kennengelernt hatten, von welchem diese Erscheinungen abhängen, mit denen ein Aufgeben des Sexualzieles verbunden ist.

Der Ersatz für das Sexualobjekt ist ein im allgemeinen für sexuelle Zwecke sehr wenig geeigneter Körperteil (Fuß, Haar) oder ein unbelebtes Objekt, welches in nachweisbarer Relation mit der Sexualperson, am besten mit der Sexualität derselben, steht. (Stücke der Kleidung, weiße Wäsche.) Dieser Ersatz wird nicht mit Unrecht mit dem Fetisch verglichen, in dem der Wilde seinen Gott verkörpert sieht.

Den Übergang zu den Fällen von Fetischismus mit Verzicht auf ein normales oder perverses Sexualziel bilden Fälle, in denen eine fetischistische Bedingung am Sexualobjekt erfordert wird, wenn das Sexualziel erreicht werden soll. (Bestimmte Haarfarbe, Kleidung, selbst Körperfehler.) Keine andere ans Pathologische streifende Variation des Sexualtriebes hat so viel Anspruch auf unser Interesse wie diese durch die Sonderbarkeit der durch sie veranlaßten Erscheinungen. Eine gewisse Herabsetzung des Strebens nach dem normalen Sexualziel scheint für alle Fälle Voraussetzung (exekutive Schwäche des Sexualapparates).[1] Die Anknüpfung ans Normale wird durch die psychologisch notwendige Überschätzung des Sexualobjektes vermittelt, welche unvermeidlich auf alles mit demselben assoziativ Verbundene übergreift. Ein gewisser Grad von solchem Fetischismus ist daher dem normalen Lieben regelmäßig eigen, besonders in jenen Stadien der Verliebtheit, in welchen das normale

---

1 Diese Schwäche entspräche der konstitutionellen Voraussetzung. Die Psychoanalyse hat als akzidentelle Bedingung die frühzeitige Sexualeinschüchterung nachgewiesen, welche vom normalen Sexualziel abdrängt und zum Ersatz desselben anregt.

Sexualziel unerreichbar oder dessen Erfüllung aufgehoben erscheint.

>»Schaff' mir ein Halstuch von ihrer Brust,
>Ein Strumpfband meiner Liebeslust!«
>
>(Faust)

Der pathologische Fall tritt erst ein, wenn sich das Streben nach
dem Fetisch über solche Bedingung hinaus fixiert und sich an die
Stelle des normalen Zieles setzt, ferner wenn sich der Fetisch von
der bestimmten Person loslöst, zum alleinigen Sexualobjekt wird.
Es sind dies die allgemeinen Bedingungen für das Übergehen bloßer Variationen des Geschlechtstriebes in pathologische Verirrungen.

In der Auswahl des Fetisch zeigt sich, wie Binet zuerst behauptet
hat und dann später durch zahlreiche Belege erwiesen worden ist,
der fortwirkende Einfluß eines zumeist in früher Kindheit emp-
fangenen sexuellen Eindruckes, was man der sprichwörtlichen
Haftfähigkeit einer ersten Liebe beim Normalen (*»on revient tou-
jours à ses premiers amours«*) an die Seite stellen darf. Eine solche
Ableitung ist besonders deutlich bei Fällen mit bloß fetischisti-
scher Bedingtheit des Sexualobjektes. Der Bedeutung frühzeitiger sexueller Eindrücke werden wir noch an anderer Stelle begegnen.[1]

---

1 Tiefer eindringende psychoanalytische Untersuchung hat zu einer berechtigten Kritik der Binetschen Behauptung geführt. Alle hieher gehörigen Beobachtungen haben ein erstes Zusammentreffen mit dem Fetisch zum Inhalt, in
welchem sich dieser bereits im Besitz des sexuellen Interesses zeigt, ohne daß
man aus den Begleitumständen verstehen könnte, wie er zu diesem Besitz ge-
kommen ist. Auch fallen alle diese »frühzeitigen« Sexualeindrücke in die Zeit
nach dem fünften, sechsten Jahr, während die Psychoanalyse daran zweifeln
läßt, ob sich pathologische Fixierungen so spät neubilden können. Der wirkliche Sachverhalt ist der, daß hinter der ersten Erinnerung an das Auftreten des
Fetisch eine untergegangene und vergessene Phase der Sexualentwicklung
liegt, die durch den Fetisch wie durch eine »Deckerinnerung« vertreten wird,
deren Rest und Niederschlag der Fetisch also darstellt. Die Wendung dieser in
die ersten Kindheitsjahre fallenden Phase zum Fetischismus sowie die Auswahl des Fetisch selbst sind konstitutionell determiniert.

In anderen Fällen ist es eine dem Betroffenen meist nicht bewußte symbolische Gedankenverbindung, welche zum Ersatz des Objektes durch den Fetisch geführt hat. Die Wege dieser Verbindungen sind nicht immer mit Sicherheit nachzuweisen (der Fuß ist ein uraltes sexuelles Symbol, schon im Mythus[1], »Pelz« verdankt seine Fetischrolle wohl der Assoziation mit der Behaarung des mons veneris); doch scheint auch solche Symbolik nicht immer unabhängig von sexuellen Erlebnissen der Kinderzeit.[2]

b) Fixierungen von vorläufigen Sexualzielen

Auftreten neuer Absichten Alle äußeren und inneren Bedingungen, welche das Erreichen des normalen Sexualzieles erschweren oder in die Ferne rücken (Impotenz, Kostbarkeit des Sexualobjektes, Gefahren des Sexualaktes), unterstützen wie begreiflich die Neigung, bei den vorbereitenden Akten zu verweilen und neue Sexualziele aus ihnen zu gestalten, die an die Stelle des normalen treten können. Bei näherer Prüfung zeigt sich stets, daß die anscheinend fremdartigsten dieser neuen Absichten doch bereits beim normalen Sexualvorgang angedeutet sind.

Betasten und Beschauen Ein gewisses Maß von Tasten ist wenigstens für den Menschen zur Erreichung des normalen Sexualzieles unerläßlich. Auch ist es allgemein bekannt, welche Lustquelle einerseits, welcher Zufluß neuer

---

1 Dementsprechend der Schuh oder Pantoffel Symbol des weiblichen Genitales.

2 Die Psychoanalyse hat eine der noch vorhandenen Lücken im Verständnis des Fetischismus ausgefüllt, indem sie auf die Bedeutung einer durch Verdrängung verlorengegangenen koprophilen *Riechlust* für die Auswahl des Fetisch hinwies. Fuß und Haar sind stark riechende Objekte, die nach dem Verzicht auf die unlustig gewordene Geruchsempfindung zu Fetischen erhoben werden. In der dem Fußfetischismus entsprechenden Perversion ist demgemäß nur der schmutzige und übelriechende Fuß das Sexualobjekt. Ein anderer Beitrag zur Aufklärung der fetischistischen Bevorzugung des Fußes ergibt sich aus den infantilen Sexualtheorien. (S. u.) Der Fuß ersetzt den schwer vermißten Penis des Weibes. – In manchen Fällen von Fußfetischismus ließ sich zeigen, daß der ursprünglich auf das Genitale gerichtete *Schautrieb*, der seinem Objekt von unten her nahekommen wollte, durch Verbot und Verdrängung auf dem Wege aufgehalten wurde und darum Fuß oder Schuh als Fetisch festhielt. Das weibliche Genitale wurde dabei, der infantilen Erwartung entsprechend, als ein männliches vorgestellt.

Erregung andererseits durch die Berührungsempfindungen von der Haut des Sexualobjektes gewonnen wird. Somit kann das Verweilen beim Betasten, falls der Sexualakt überhaupt nur weitergeht, kaum zu den Perversionen gezählt werden.

Ähnlich ist es mit dem in letzter Linie vom Tasten abgeleiteten Sehen. Der optische Eindruck bleibt der Weg, auf dem die libidinöse Erregung am häufigsten geweckt wird und auf dessen Gangbarkeit – wenn diese teleologische Betrachtungsweise zulässig ist – die Zuchtwahl rechnet, indem sie das Sexualobjekt sich zur Schönheit entwickeln läßt. Die mit der Kultur fortschreitende Verhüllung des Körpers hält die sexuelle Neugierde wach, welche danach strebt, sich das Sexualobjekt durch Enthüllung der verborgenen Teile zu ergänzen, die aber ins Künstlerische abgelenkt (»sublimiert«) werden kann, wenn man ihr Interesse von den Genitalien weg auf die Körperbildung im ganzen zu lenken vermag.[1] Ein Verweilen bei diesem intermediären Sexualziel des sexuell betonten Schauens kommt in gewissem Grade den meisten Normalen zu, ja es gibt ihnen die Möglichkeit, einen gewissen Betrag ihrer Libido auf höhere künstlerische Ziele zu richten. Zur Perversion wird die Schaulust im Gegenteil, *a)* wenn sie sich ausschließlich auf die Genitalien einschränkt, *b)* wenn sie sich mit der Überwindung des Ekels verbindet (Voyeurs; Zuschauer bei den Exkretionsfunktionen), *c)* wenn sie das normale Sexualziel, anstatt es vorzubereiten, verdrängt. Letzteres ist in ausgeprägter Weise bei den Exhibitionisten der Fall, die, wenn ich nach mehreren Analysen schließen darf, ihre Genitalien zeigen, um als Gegenleistung die Genitalien des anderen Teiles zu Gesicht zu bekommen.[2]

---

1 Es scheint mir unzweifelhaft, daß der Begriff des »Schönen« auf dem Boden der Sexualerregung wurzelt und ursprünglich das sexuell Reizende (»die Reize«) bedeutet. Es steht im Zusammenhange damit, daß wir die Genitalien selbst, deren Anblick die stärkste sexuelle Erregung hervorruft, eigentlich niemals »schön« finden können.

2 Die Analyse enthüllt diese Perversion – sowie die meisten anderen – eine unerwartete Vielfältigkeit ihrer Motive und Bedeutungen. Der Exhibitionszwang zum Beispiel ist auch stark abhängig vom Kastrationskomplex; er betont immer wieder die Integrität des eigenen (männlichen) Genitales und wiederholt die infantile Befriedigung über das Fehlen des Gliedes im weiblichen.

Bei der Perversion, deren Streben das Schauen und Beschautwerden ist, tritt ein sehr merkwürdiger Charakter hervor, der uns bei der nächstfolgenden Abirrung noch intensiver beschäftigen wird. Das Sexualziel ist hiebei nämlich in zweifacher Ausbildung vorhanden, in *aktiver* und in *passiver* Form.

Die Macht, welche der Schaulust entgegensteht und eventuell durch sie aufgehoben wird, ist die *Scham* (wie vorhin der Ekel).

Sadismus und Masochismus Die Neigung, dem Sexualobjekt Schmerz zuzufügen, und ihr Gegenstück, diese häufigste und bedeutsamste aller Perversionen, ist in ihren beiden Gestaltungen, der aktiven und der passiven, von v. Krafft-Ebing als *Sadismus* und *Masochismus* (passiv) benannt worden. Andere Autoren ziehen die engere Bezeichnung *Algolagnie* vor, welche die Lust am Schmerz, die Grausamkeit, betont, während bei den Namen, die v. Krafft-Ebing gewählt hat, die Lust an jeder Art von Demütigung und Unterwerfung in den Vordergrund gestellt wird.

Für die aktive Algolagnie, den Sadismus, sind die Wurzeln im Normalen leicht nachzuweisen. Die Sexualität der meisten Männer zeigt eine Beimengung von *Aggression*, von Neigung zur Überwältigung, deren biologische Bedeutung in der Notwendigkeit liegen dürfte, den Widerstand des Sexualobjektes noch anders als durch die Akte der *Werbung* zu überwinden. Der Sadismus entspräche dann einer selbständig gewordenen, übertriebenen, durch Verschiebung an die Hauptstelle gerückten aggressiven Komponente des Sexualtriebes.

Der Begriff des Sadismus schwankt im Sprachgebrauch von einer bloß aktiven, sodann gewalttätigen Einstellung gegen das Sexualobjekt bis zur ausschließlichen Bindung der Befriedigung an die Unterwerfung und Mißhandlung desselben. Strenge genommen hat nur der letztere extreme Fall Anspruch auf den Namen einer Perversion.

In ähnlicher Weise umfaßt die Bezeichnung Masochismus alle passiven Einstellungen zum Sexualleben und Sexualobjekt, als deren äußerste die Bindung der Befriedigung an das Erleiden von physischem oder seelischem Schmerz von seiten des Sexualobjektes erscheint. Der Masochismus als Perversion scheint sich vom normalen Sexualziel weiter zu entfernen als sein Gegenstück; es darf zunächst bezweifelt werden, ob er jemals primär auftritt oder nicht vielmehr regelmäßig durch Umbildung aus dem Sadismus entsteht.[1] Häufig läßt sich erkennen, daß der Masochismus nichts anderes ist als eine Fortsetzung des Sadismus in Wendung gegen die eigene Person, welche dabei zunächst die Stelle des Sexualobjekts vertritt. Die klinische Analyse extremer Fälle von masochistischer Perversion führt auf das Zusammenwirken einer großen Reihe von Momenten, welche die ursprüngliche passive Sexualeinstellung übertreiben und fixieren. (Kastrationskomplex, Schuldbewußtsein.)

Der Schmerz, der hiebei überwunden wird, reiht sich dem Ekel und der Scham an, die sich der Libido als Widerstände entgegengestellt hatten.

Sadismus und Masochismus nehmen unter den Perversionen eine besondere Stellung ein, da der ihnen zugrunde liegende Gegensatz von Aktivität und Passivität zu den allgemeinen Charakteren des Sexuallebens gehört.

Daß Grausamkeit und Sexualtrieb innigst zusammengehören, lehrt die Kulturgeschichte der Menschheit über jeden Zweifel, aber in der Aufklärung dieses Zusammenhanges ist man über die Betonung des aggressiven Moments der Libido nicht hinausgekommen. Nach einigen Autoren ist diese dem Sexualtrieb beigemengte Aggression eigentlich ein Rest kannibalischer Gelüste, also eine Mitbeteiligung des Bemächtigungsapparates, welcher der Befriedigung des anderen, ontogenetisch älteren großen Bedürfnisses dient.[2] Es ist auch behauptet worden, daß jeder Schmerz an und für sich die Mög-

---

1 Spätere Überlegungen, die sich auf bestimmte Annahmen über die Struktur des seelischen Apparates und über die in ihm wirksamen Triebarten stützen konnten, haben mein Urteil über den Masochismus weitgehend verändert. Ich wurde dazu geführt, einen *primären – erogenen –* Masochismus anzuerkennen, aus dem sich zwei spätere Formen, der *feminine* und der *moralische* Masochismus entwickeln. Durch Rückwendung des im Leben unverbrauchten Sadismus gegen die eigene Person entsteht ein *sekundärer* Masochismus, der sich zum primären hinzuaddiert. (3. »Das ökonomische Problem des Masochismus«, Internat. Zeitschrift für Psychoanalyse X, 1924 {Ges. Werke, Bd. XIII}.)

2 Vgl. hiezu die spätere Mitteilung über die prägenitalen Phasen der Sexualentwicklung, in welcher diese Ansicht bestätigt wird.

lichkeit einer Lustempfindung enthalte. Wir wollen uns mit dem Eindruck begnügen, daß die Aufklärung dieser Perversion keineswegs befriedigend gegeben ist und daß möglicherweise hiebei mehrere seelische Strebungen sich zu einem Effekt vereinigen.[1]

Die auffälligste Eigentümlichkeit dieser Perversion liegt aber darin, daß ihre aktive und ihre passive Form regelmäßig bei der nämlichen Person mitsammen angetroffen werden. Wer Lust daran empfindet, anderen Schmerz in sexueller Relation zu erzeugen, der ist auch befähigt, den Schmerz als Lust zu genießen, der ihm aus sexuellen Beziehungen erwachsen kann. Ein Sadist ist immer auch gleichzeitig ein Masochist, wenngleich die aktive oder die passive Seite der Perversion bei ihm stärker ausgebildet sein und seine vorwiegende sexuelle Betätigung darstellen kann.[2]

Wir sehen so gewisse der Perversionsneigungen regelmäßig als *Gegensatzpaare* auftreten, was mit Hinblick auf später beizubringendes Material eine hohe theoretische Bedeutung beanspruchen darf.[3]

Es ist ferner einleuchtend, daß die Existenz des Gegensatzpaares Sadismus – Masochismus aus der Aggressionsbeimengung nicht ohneweiters ableitbar ist. Dagegen wäre man versucht, solche gleichzeitig vorhandene Gegensätze mit dem in der Bisexualität vereinten Gegensatz von männlich und weiblich in Beziehung zu setzen, für welchen in der Psychoanalyse häufig der von aktiv und passiv einzusetzen ist.

---

1 Aus der zuletzt zitierten Untersuchung leitet sich für das Gegensatzpaar Sadismus – Masochismus eine auf den Triebursprung begründete Sonderstellung ab, durch welche es aus der Reihe der anderen »Perversionen« herausgehoben wird.

2 Anstatt vieler Belege für diese Behauptung zitiere ich nur die eine Stelle aus Havelock Ellis (Das Geschlechtsgefühl, 1903): »Alle bekannten Fälle von Sadismus und Masochismus, selbst die von v. Krafft-Ebing zitierten, zeigen beständig (wie schon Colin Scott und Féré nachgewiesen) Spuren beider Gruppen von Erscheinungen an ein und demselben Individuum.«

3 Vgl. die spätere Erwähnung der »Ambivalenz«.

3) Allgemeines über alle Perversionen

Die Ärzte, welche die Perversionen zuerst an ausgeprägten Bei- | **Variation**
spielen und unter besonderen Bedingungen studiert haben, sind | **und**
natürlich geneigt gewesen, ihnen den Charakter eines Krankheits- | **Krankheit**
oder Degenerationszeichens zuzusprechen, ganz ähnlich wie bei
der Inversion. Indes ist es hier leichter als dort, diese Auffassung
abzulehnen. Die alltägliche Erfahrung hat gezeigt, daß die meisten dieser Überschreitungen, wenigstens die minder argen unter
ihnen, einen selten fehlenden Bestandteil des Sexuallebens der
Gesunden bilden und von ihnen wie andere Intimitäten auch
beurteilt werden. Wo die Verhältnisse es begünstigen, kann auch
der Normale eine solche Perversion eine ganze Zeit lang an die
Stelle des normalen Sexualzieles setzen oder ihr einen Platz neben
diesem einräumen. Bei keinem Gesunden dürfte irgendein pervers
zu nennender Zusatz zum normalen Sexualziel fehlen, und diese
Allgemeinheit genügt für sich allein, um die Unzweckmäßigkeit
einer vorwurfsvollen Verwendung des Namens Perversion dar-
zutun. Gerade auf dem Gebiete des Sexuallebens stößt man auf
besondere, eigentlich derzeit unlösbare Schwierigkeiten, wenn
man eine scharfe Grenze zwischen bloßer Variation innerhalb
der physiologischen Breite und krankhaften Symptomen ziehen
will.

Bei manchen dieser Perversionen ist immerhin die Qualität des
neuen Sexualzieles eine solche, daß sie nach besonderer Würdigung
verlangt. Gewisse der Perversionen entfernen sich inhaltlich so weit
vom Normalen, daß wir nicht umhinkönnen, sie für »krankhaft« zu
erklären, insbesondere jene, in denen der Sexualtrieb in der Überwindung der Widerstände (Scham, Ekel, Grauen, Schmerz) er-
staunliche Leistungen vollführt (Kotlecken, Leichenmißbrauch).
Doch darf man auch in diesen Fällen sich nicht der sicheren Erwartung hingeben, in den Tätern regelmäßig Personen mit anders-
artigen schweren Abnormitäten oder Geisteskranke zu entdecken.
Man kommt auch hier nicht über die Tatsache hinaus, daß Personen,
die sich sonst normal verhalten, auf dem Gebiete des Sexuallebens
allein, unter der Herrschaft des ungezügeltsten aller Triebe, sich als
Kranke dokumentieren. Manifeste Abnormität in anderen Lebens-

63

relationen pflegt hingegen jedesmal einen Hintergrund von abnormem sexuellen Verhalten zu zeigen.

In der Mehrzahl der Fälle können wir den Charakter des Krankhaften bei der Perversion nicht im Inhalt des neuen Sexualzieles, sondern in dessen Verhältnis zum Normalen finden. Wenn die Perversion nicht *neben* dem Normalen (Sexualziel und Objekt) auftritt, wo günstige Umstände dieselbe fördern und ungünstige das Normale verhindern, sondern wenn sie das Normale unter allen Umständen verdrängt und ersetzt hat; – in der *Ausschließlichkeit* und in der *Fixierung* also der Perversion sehen wir zu allermeist die Berechtigung, sie als ein krankhaftes Symptom zu beurteilen.

Die seelische Beteiligung bei den Perversionen Vielleicht gerade bei den abscheulichsten Perversionen muß man die ausgiebigste psychische Beteiligung zur Umwandlung des Sexualtriebes anerkennen. Es ist hier ein Stück seelischer Arbeit geleistet, dem man trotz seines greulichen Erfolges den Wert einer Idealisierung des Triebes nicht absprechen kann. Die Allgewalt der Liebe zeigt sich vielleicht nirgends stärker als in diesen ihren Verirrungen. Das Höchste und das Niedrigste hängen in der Sexualität überall am innigsten aneinander (»vom Himmel durch die Welt zur Hölle«).

Zwei Ergebnisse Bei dem Studium der Perversionen hat sich uns die Einsicht ergeben, daß der Sexualtrieb gegen gewisse seelische Mächte als Widerstände anzukämpfen hat, unter denen Scham und Ekel am deutlichsten hervorgetreten sind. Es ist die Vermutung gestattet, daß diese Mächte daran beteiligt sind, den Trieb innerhalb der als normal geltenden Schranken zu bannen, und wenn sie sich im Individuum früher entwickelt haben, ehe der Sexualtrieb seine volle Stärke erlangte, so waren sie es wohl, die ihm die Richtung seiner Entwicklung angewiesen haben.[1]

Wir haben ferner die Bemerkung gemacht, daß einige der unter-

---

1 Man muß diese die Sexualentwicklung eindämmenden Mächte – Ekel, Scham und Moralität – andererseits auch als historische Niederschläge der äußeren Hemmungen ansehen, welche der Sexualtrieb in der Psychogenese der Menschheit erfahren hat. Man macht die Beobachtung, daß sie in der Entwicklung des einzelnen zu ihrer Zeit wie spontan auf die Winke der Erziehung und Beeinflussung hin auftreten.

suchten Perversionen nur durch das Zusammentreten von mehreren Motiven verständlich werden. Wenn sie eine Analyse – Zersetzung – zulassen, müssen sie zusammengesetzter Natur sein. Hieraus können wir einen Wink entnehmen, daß vielleicht der Sexualtrieb selbst nichts Einfaches, sondern aus Komponenten zusammengesetzt ist, die sich in den Perversionen wieder von ihm ablösen. Die Klinik hätte uns so auf *Verschmelzungen* aufmerksam gemacht, die in dem gleichförmigen normalen Verhalten ihren Ausdruck eingebüßt haben.[1]

4) Der Sexualtrieb bei den Neurotikern

Einen wichtigen Beitrag zur Erkenntnis des Sexualtriebes bei Personen, die den Normalen mindestens nahestehen, gewinnt man aus einer Quelle, die nur auf einem bestimmten Wege zugänglich ist. Es gibt nur ein Mittel, über das Geschlechtsleben der sogenannten Psychoneurotiker (Hysterie, Zwangsneurose, fälschlich sogenannte Neurasthenie, sicherlich auch Dementia praecox, Paranoia) gründliche und nicht irreleitende Aufschlüsse zu erhalten, nämlich wenn man sie der psychoanalytischen Erforschung unterwirft, deren sich das von J. Breuer und mir 1893 eingesetzte, damals »kathartisch« genannte Heilverfahren bedient.

Die Psychoanalyse

Ich muß vorausschicken, respektive aus anderen Veröffentlichungen wiederholen, daß diese Psychoneurosen, soweit meine Erfahrungen reichen, auf sexuellen Triebkräften beruhen. Ich meine dies nicht etwa so, daß die Energie des Sexualtriebes einen Beitrag zu den Kräften liefert, welche die krankhaften Erscheinungen (Symptome) unterhalten, sondern ich will ausdrücklich behaupten, daß dieser Anteil der einzig konstante und die wichtigste Energie-

---

1 Ich bemerke vorgreifend über die Entstehung der Perversionen, daß man Grund hat anzunehmen, es sei vor der Fixierung derselben, ganz ähnlich wie beim Fetischismus, ein Ansatz normaler Sexualentwicklung vorhanden gewesen. Die analytische Untersuchung hat bisher in einzelnen Fällen zeigen können, daß auch die Perversion der Rückstand einer Entwicklung zum Ödipuskomplex ist, nach dessen Verdrängung die der Anlage nach stärkste Komponente des Sexualtriebes wieder hervorgetreten ist.

quelle der Neurose ist, so daß das Sexualleben der betreffenden Personen sich entweder ausschließlich oder vorwiegend oder nur teilweise in diesen Symptomen äußert. Die Symptome sind, wie ich es an anderer Stelle ausgedrückt habe, die Sexualbetätigung der Kranken. Den Beweis für diese Behauptung hat mir eine seit fünfundzwanzig Jahren sich mehrende Anzahl von Psychoanalysen hysterischer und anderer Nervöser geliefert, über deren Ergebnisse im einzelnen ich an anderen Orten ausführliche Rechenschaft gegeben habe und noch weiter geben werde.[1]

Die Psychoanalyse beseitigt die Symptome Hysterischer unter der Voraussetzung, daß dieselben der Ersatz – die Transkription gleichsam – für eine Reihe von affektbesetzten seelischen Vorgängen, Wünschen und Strebungen sind, denen durch einen besonderen psychischen Prozeß (die *Verdrängung*) der Zugang zur Erledigung durch bewußtseinsfähige psychische Tätigkeit versagt worden ist. Diese also im Zustande des Unbewußten zurückgehaltenen Gedankenbildungen streben nach einem ihrem Affektwert gemäßen Ausdruck, einer *Abfuhr*, und finden eine solche bei der Hysterie durch den Vorgang der *Konversion* in somatischen Phänomenen – eben den hysterischen Symptomen. Bei der kunstgerechten, mit Hilfe einer besonderen Technik durchgeführten Rückverwandlung der Symptome in nun bewußt gewordene, affektbesetzte Vorstellungen ist man also imstande, über die Natur und die Abkunft dieser früher unbewußten psychischen Bildungen das Genaueste zu erfahren.

Ergebnisse der Psychoanalyse Es ist auf diese Weise in Erfahrung gebracht worden, daß die Symptome einen Ersatz für Strebungen darstellen, die ihre Kraft der Quelle des Sexualtriebes entnehmen. Im vollen Einklange damit steht, was wir über den Charakter der hier zum Muster für alle Psychoneurotiker genommenen Hysteriker vor ihrer Erkrankung und über die Anlässe zur Erkrankung wissen. Der hysterische Charakter läßt ein Stück *Sexualverdrängung* erkennen, welches über das normale Maß hinausgeht, eine Steigerung der Widerstände ge-

---

1 Es ist nur eine Vervollständigung und nicht eine Verringerung dieser Aussage, wenn ich sie dahin abändere: Die nervösen Symptome beruhen einerseits auf dem Anspruch der libidinösen Triebe, andererseits auf dem Einspruch des Ichs, der Reaktion gegen dieselben.

gen den Sexualtrieb, die uns als Scham, Ekel und Moral bekannt geworden sind, eine wie instinktive Flucht vor der intellektuellen Beschäftigung mit dem Sexualproblem, welche in ausgeprägten Fällen den Erfolg hat, die volle sexuelle Unwissenheit noch bis in die Jahre der erlangten Geschlechtsreife zu bewahren.[1]

Dieser für die Hysterie wesentliche Charakterzug wird für die grobe Beobachtung nicht selten durch das Vorhandensein des zweiten konstitutionellen Faktors der Hysterie, durch die übermächtige Ausbildung des Sexualtriebes verdeckt, allein die psychologische Analyse weiß ihn jedesmal aufzudecken und die widerspruchsvolle Rätselhaftigkeit der Hysterie durch die Feststellung des Gegensatzpaares von übergroßem sexuellen Bedürfnis und zu weit getriebener Sexualablehnung zu lösen.

Der Anlaß zur Erkrankung ergibt sich für die hysterisch disponierte Person, wenn infolge der fortschreitenden eigenen Reifung oder äußerer Lebensverhältnisse die reale Sexualforderung ernsthaft an sie herantritt. Zwischen dem Drängen des Triebes und dem Widerstreben der Sexualablehnung stellt sich dann der Ausweg der Krankheit her, der den Konflikt nicht löst, sondern ihm durch die Verwandlung der libidinösen Strebungen in Symptome zu entgehen sucht. Es ist nur eine scheinbare Ausnahme, wenn eine hysterische Person, ein Mann etwa, an einer banalen Gemütsbewegung, an einem Konflikt, in dessen Mittelpunkt nicht das sexuelle Interesse steht, erkrankt. Die Psychoanalyse kann dann regelmäßig nachweisen, daß es die sexuelle Komponente des Konflikts ist, welche die Erkrankung ermöglicht hat, indem sie die seelischen Vorgänge der normalen Erledigung entzog.

Ein guter Teil des Widerspruches gegen diese meine Aufstellungen erklärt sich wohl daraus, daß man die Sexualität, von welcher ich die psychoneurotischen Symptome ableite, mit dem normalen Sexualtrieb zusammenfallen ließ. Allein die Psychoanalyse lehrt noch mehr. Sie zeigt, daß die Symptome keineswegs allein auf Kosten des sogenannten normalen Sexualtriebes entstehen (wenigstens nicht

Neurose und Perversion

---

1 Studien über Hysterie. 1895. (Bd. I der Ges. Werke.) J. Breuer sagt von seiner Patientin, an der er die kathartische Methode zuerst geübt hat: »Das sexuale Moment war erstaunlich unentwickelt.«

ausschließlich oder vorwiegend), sondern den konvertierten Ausdruck von Trieben darstellen, welche man als *perverse* (im weitesten
Sinne) bezeichnen würde, wenn sie sich ohne Ablenkung vom Bewußtsein direkt in Phantasievorsätzen und Taten äußern könnten.
Die Symptome bilden sich also zum Teil auf Kosten abnormer Sexualität; *die Neurose ist sozusagen das Negativ der Perversion.*[1]
Der Sexualtrieb der Psychoneurotiker läßt alle die Abirrungen erkennen, die wir als Variationen des normalen und als Äußerungen
des krankhaften Sexuallebens studiert haben.

a) Bei allen Neurotikern (ohne Ausnahme) finden sich im unbewußten Seelenleben Regungen von Inversion, Fixierung von Libido
auf Personen des gleichen Geschlechts. Ohne tief eindringende
Erörterung ist es nicht möglich, die Bedeutung dieses Moments für
die Gestaltung des Krankheitsbildes entsprechend zu würdigen; ich
kann nur versichern, daß die unbewußte Inversionsneigung niemals
fehlt und insbesondere zur Aufklärung der männlichen Hysterie die
größten Dienste leistet.[2]

b) Es sind bei den Psychoneurotikern alle Neigungen zu den anatomischen Überschreitungen im Unbewußten und als Symptombildner nachweisbar, unter ihnen mit besonderer Häufigkeit und Intensität diejenigen, welche für Mund- und Afterschleimhaut die Rolle
von Genitalien in Anspruch nehmen.

c) Eine ganz hervorragende Rolle unter den Symptombildnern der
Psychoneurosen spielen die zumeist in Gegensatzpaaren auftreten-

---

1 Die klar bewußten Phantasien der Perversen, die unter günstigen Umständen
  in Veranstaltungen umgesetzt werden, die in feindlichem Sinne auf andere
  projizierten Wahnbefürchtungen der Paranoiker und die unbewußten Phantasien der Hysteriker, die man durch Psychoanalyse hinter ihren Symptomen
  aufdeckt, fallen inhaltlich bis in einzelne Details zusammen.
2 Psychoneurose vergesellschaftet sich auch sehr oft mit manifester Inversion,
  wobei die heterosexuelle Strömung der vollen Unterdrückung zum Opfer gefallen ist. – Ich lasse nur einer mir zuteil gewordenen Anregung Recht wider-
  fahren, wenn ich mitteile, daß erst private Äußerungen von W. Fließ in Berlin
  mich auf die notwendige Allgemeinheit der Inversionsneigung bei den
  Psychoneurotikern aufmerksam gemacht haben, nachdem ich diese in einzelnen Fällen aufgedeckt hatte. – Diese nicht genug gewürdigte Tatsache müßte
  alle Theorien der Homosexualität entscheidend beeinflussen.

den Partialtriebe, die wir als Bringer neuer Sexualziele kennengelernt haben, der Trieb der Schaulust und der Exhibition und der
aktiv und passiv ausgebildete Trieb zur Grausamkeit. Der Beitrag
des letzteren ist zum Verständnis der Leidensnatur der Symptome
unentbehrlich und beherrscht fast regelmäßig ein Stück des sozialen
Verhaltens der Kranken. Vermittels dieser Grausamkeitsverknüp-
fung der Libido geht auch die Verwandlung von Liebe in Haß, von
zärtlichen in feindselige Regungen vor sich, die für eine große Reihe
von neurotischen Fällen, ja, wie es scheint, für die Paranoia im ganzen charakteristisch ist.

Das Interesse an diesen Ergebnissen wird noch durch einige Beson-
derheiten des Tatbestandes erhöht.

α) Wo ein solcher Trieb im Unbewußten aufgefunden wird, welcher
der Paarung mit einem Gegensatze fähig ist, da läßt sich regelmäßig
auch dieser letztere als wirksam nachweisen. Jede »aktive« Perversion wird also hier von ihrem passiven Widerpart begleitet; wer im
Unbewußten Exhibitionist ist, der ist auch gleichzeitig Voyeur, wer
an den Folgen der Verdrängung sadistischer Regungen leidet, bei dem
findet sich ein anderer Zuzug zu den Symptomen aus den Quellen
masochistischer Neigung. Die volle Übereinstimmung mit dem Verhalten der entsprechenden »positiven« Perversionen ist gewiß sehr
beachtenswert. Im Krankheitsbilde spielt aber die eine oder die andere der gegensätzlichen Neigungen die überwiegende Rolle.

β) In einem ausgeprägteren Falle von Psychoneurose findet man
nur selten einen einzigen dieser perversen Triebe entwickelt, meist
eine größere Anzahl derselben und in der Regel Spuren von allen;
der einzelne Trieb ist aber in seiner Intensität unabhängig von der
Ausbildung der anderen. Auch dazu ergibt uns das Studium der
positiven Perversionen das genaue Gegenstück.

5) Partialtriebe und erogene Zonen

Halten wir zusammen, was wir aus der Untersuchung der positiven
und der negativen Perversionen erfahren haben, so liegt es nahe,
dieselben auf eine Reihe von »Partialtrieben« zurückzuführen, die

aber nichts Primäres sind, sondern eine weitere Zerlegung zulassen. Unter einem »Trieb« können wir zunächst nichts anderes verstehen als die psychische Repräsentanz einer kontinuierlich fließenden, innersomatischen Reizquelle, zum Unterschiede vom »Reiz«, der durch vereinzelte und von außen kommende Erregungen hergestellt wird. Trieb ist so einer der Begriffe der Abgrenzung des Seelischen vom Körperlichen. Die einfachste und nächstliegende Annahme über die Natur der Triebe wäre, daß sie an sich keine Qualität besitzen, sondern nur als Maße von Arbeitsanforderung für das Seelenleben in Betracht kommen. Was die Triebe voneinander unterscheidet und mit spezifischen Eigenschaften ausstattet, ist deren Beziehung zu ihren somatischen *Quellen* und ihren *Zielen*. Die Quelle des Triebes ist ein erregender Vorgang in einem Organ, und das nächste Ziel des Triebes liegt in der Aufhebung dieses Organreizes.[1]

Eine weitere vorläufige Annahme in der Trieblehre, welcher wir uns nicht entziehen können, besagt, daß von den Körperorganen Erregungen von zweierlei Art geliefert werden, die in Differenzen chemischer Natur begründet sind. Die eine dieser Arten von Erregung bezeichnen wir als die spezifisch sexuelle und das betreffende Organ als die *»erogene Zone«* des von ihm ausgehenden sexuellen Partialtriebes.[2]

Bei den Perversionsneigungen, die für Mundhöhle und Afteröffnung sexuelle Bedeutung in Anspruch nehmen, ist die Rolle der erogenen Zone ohneweiters ersichtlich. Dieselbe benimmt sich in jeder Hinsicht wie ein Stück des Geschlechtsapparates. Bei der Hysterie werden diese Körperstellen und die von ihnen ausgehenden Schleimhauttrakte in ganz ähnlicher Weise der Sitz von neuen Sensationen und Innervationsänderungen – ja von Vorgängen, die man

---

1 Die Trieblehre ist das bedeutsamste, aber auch das unfertigste Stück der psychoanalytischen Theorie. In meinen späteren Arbeiten (»Jenseits des Lustprinzips«, 1921, »Das Ich und das Es«, 1920 {Bd. XIII der Ges. Werke}) habe ich weitere Beiträge zur Trieblehre entwickelt.
2 Es ist nicht leicht, diese Annahmen, die aus dem Studium einer bestimmten Klasse von neurotischen Erkrankungen geschöpft sind, hier zu rechtfertigen. Andererseits wird es aber unmöglich, etwas Stichhältiges über die Triebe auszusagen, wenn man sich die Erwähnung dieser Voraussetzungen erspart.

der Erektion vergleichen kann – wie die eigentlichen Genitalien unter den Erregungen der normalen Geschlechtsvorgänge.

Die Bedeutung der erogenen Zonen als Nebenapparate und Surrogate der Genitalien tritt unter den Psychoneurosen bei der Hysterie am deutlichsten hervor, womit aber nicht behauptet werden soll, daß sie für die anderen Erkrankungsformen geringer einzuschätzen ist. Sie ist hier nur unkenntlicher, weil sich bei diesen (Zwangsneurose, Paranoia) die Symptombildung in Regionen des seelischen Apparates vollzieht, die weiter ab von den einzelnen Zentralstellen für die Körperbeherrschung liegen. Bei der Zwangsneurose ist die Bedeutung der Impulse, welche neue Sexualziele schaffen und von erogenen Zonen unabhängig erscheinen, das Auffälligere. Doch entspricht bei der Schau- und Exhibitionslust das Auge einer erogenen Zone, bei der Schmerz- und Grausamkeitskomponente des Sexualtriebes ist es die Haut, welche die gleiche Rolle übernimmt, die Haut, die sich an besonderen Körperstellen zu Sinnesorganen differenziert und zur Schleimhaut modifiziert hat, also die erogene Zone κατ' ἐξοχήν.[1]

6) Erklärung des scheinbaren Überwiegens perverser Sexualität bei den Psychoneurosen

Durch die vorstehenden Erörterungen ist die Sexualität der Psychoneurotiker in ein möglicherweise falsches Licht gerückt worden. Es hat den Anschein bekommen, als näherten sich die Psychoneurotiker in ihrem sexuellen Verhalten der Anlage nach sehr den Perversen und entfernten sich dafür um ebensoviel von den Normalen. Nun ist sehr wohl möglich, daß die konstitutionelle Disposition dieser Kranken außer einem übergroßen Maß von Sexualverdrängung und einer übermächtigen Stärke des Sexualtriebes eine ungewöhnliche Neigung zur Perversion im weitesten Sinne mitenthält, allein die

---

1 Man muß hier der Aufstellung von Moll gedenken, welche den Sexualtrieb in Kontrektations- und Detumeszenztrieb zerlegt. Kontrektation bedeutet ein Bedürfnis nach Hautberührung.

Untersuchung leichterer Fälle zeigt, daß letztere Annahme nicht unbedingt erforderlich ist oder daß zum mindesten bei der Beurteilung der krankhaften Effekte die Wirkung eines Faktors in Abzug gebracht werden muß. Bei den meisten Psychoneurotikern tritt die Erkrankung erst nach der Pubertätszeit auf unter der Anforderung des normalen Sexuallebens. Gegen dieses richtet sich vor allem die Verdrängung. Oder spätere Erkrankungen stellen sich her, indem der Libido auf normalem Wege die Befriedigung versagt wird. In beiden Fällen verhält sich die Libido wie ein Strom, dessen Hauptbett verlegt wird; sie füllt die kollateralen Wege aus, die bisher vielleicht leer geblieben waren. Somit kann auch die scheinbar so große (allerdings negative) Perversionsneigung der Psychoneurotiker eine kollateral bedingte, muß jedenfalls eine kollateral erhöhte sein. Die Tatsache ist eben, daß man die Sexualverdrängung als inneres Moment jenen äußeren anreihen muß, welche wie Freiheitseinschränkung, Unzugänglichkeit des normalen Sexualobjekts, Gefahren des normalen Sexualaktes usw. Perversionen bei Individuen entstehen lassen, welche sonst vielleicht normal geblieben wären.

In den einzelnen Fällen von Neurose mag es sich hierin verschieden verhalten, das einemal die angeborene Höhe der Perversionsneigung, das anderemal die kollaterale Hebung derselben durch die Abdrängung der Libido vom normalen Sexualziel und Sexualobjekt das Maßgebendere sein. Es wäre unrecht, eine Gegensätzlichkeit zu konstruieren, wo ein Kooperationsverhältnis vorliegt. Ihre größten Leistungen wird die Neurose jedesmal zustande bringen, wenn Konstitution und Erleben in demselben Sinne zusammenwirken. Eine ausgesprochene Konstitution wird etwa der Unterstützung durch die Lebenseindrücke entbehren können, eine ausgiebige Erschütterung im Leben etwa die Neurose auch bei durchschnittlicher Konstitution zustande bringen. Diese Gesichtspunkte gelten übrigens in gleicher Weise für die ätiologische Bedeutung von Angeborenem und akzidentell Erlebtem auch auf anderen Gebieten.

Bevorzugt man die Annahme, daß eine besonders ausgebildete Neigung zu Perversionen doch zu den Eigentümlichkeiten der psychoneurotischen Konstitution gehört, so eröffnet sich die Aussicht, je nach dem angeborenen Vorwiegen dieser oder jener erogenen Zone, dieses oder jenes Partialtriebes eine Mannigfaltigkeit solcher Konstitutionen unterscheiden zu können. Ob der perversen Veranlagung eine besondere Beziehung zur Auswahl der Erkrankungsform zukommt, dies ist wie so vieles auf diesem Gebiete noch nicht untersucht.

7) Verweis auf den Infantilismus der Sexualität

Durch den Nachweis der perversen Regungen als Symptombildner bei den Psychoneurosen haben wir die Anzahl der Menschen, die man den Perversen zurechnen könnte, in ganz außerordentlicher Weise gesteigert. Nicht nur, daß die Neurotiker selbst eine sehr zahlreiche Menschenklasse darstellen, es ist auch in Betracht zu ziehen, daß die Neurosen von allen ihren Ausbildungen her in lückenlosen Reihen zur Gesundheit abklingen; hat doch Moebius mit guter Berechtigung sagen können: wir sind alle ein wenig hysterisch. Somit werden wir durch die außerordentliche Verbreitung der Perversionen zu der Annahme gedrängt, daß auch die Anlage zu den Perversionen keine seltene Besonderheit, sondern ein Stück der für normal geltenden Konstitution sein müsse.

Wir haben gehört, daß es strittig ist, ob die Perversionen auf angeborene Bedingungen zurückgehen oder durch zufällige Erlebnisse entstehen, wie es Binet für den Fetischismus angenommen hat. Nun bietet sich uns die Entscheidung, daß den Perversionen allerdings etwas Angeborenes zugrunde liegt, aber etwas, *was allen Menschen angeboren* ist, als Anlage in seiner Intensität schwanken mag und der Hervorhebung durch Lebenseinflüsse wartet. Es handelt sich um angeborene, in der Konstitution gegebene Wurzeln des Sexualtriebes, die sich in der einen Reihe von Fällen zu den wirklichen Trägern der Sexualtätigkeit entwickeln (Perverse), andere Male eine ungenügende Unterdrückung (Verdrängung) erfahren, so daß sie auf einem Umweg als Krankheitssymptome einen beträchtlichen Teil der sexuellen Energie an sich ziehen können, während sie in den günstigsten Fällen zwischen beiden Extremen durch wirksame Einschränkung und sonstige Verarbeitung das sogenannte normale Sexualleben entstehen lassen.

Wir werden uns aber ferner sagen, daß die angenommene Konstitution, welche die Keime zu allen Perversionen aufweist, nur beim Kinde aufzeigbar sein wird, wenngleich bei ihm alle Triebe nur in bescheidenen Intensitäten auftreten können. Ahnt uns so die Formel, daß die Neurotiker den infantilen Zustand ihrer Sexualität beibehalten haben oder auf ihn zurückversetzt worden sind, so wird sich unser Interesse dem Sexualleben des Kindes zuwenden, und wir werden das Spiel der Einflüsse verfolgen wollen, die den Entwicklungsprozeß der kindlichen Sexualität bis zum Ausgang in Perversion, Neurose oder normales Geschlechtsleben beherrschen.

II
DIE INFANTILE SEXUALITÄT

Es ist ein Stück der populären Meinung über den Geschlechtstrieb, daß er der Kindheit fehle und erst in der als Pubertät bezeichneten Lebensperiode erwache. Allein dies ist nicht nur ein einfacher, sondern sogar ein folgenschwerer Irrtum, da er hauptsächlich unsere gegenwärtige Unkenntnis der grundlegenden Verhältnisse des Sexuallebens verschuldet. Ein gründliches Studium der Sexualäußerungen in der Kindheit würde uns wahrscheinlich die wesentlichen Züge des Geschlechtstriebes aufdecken, seine Entwicklung verraten und seine Zusammensetzung aus verschiedenen Quellen zeigen.

Es ist bemerkenswert, daß die Autoren, welche sich mit der Erklärung der Eigenschaften und Reaktionen des erwachsenen Individuums beschäftigen, jener Vorzeit, welche durch die Lebensdauer der Ahnen gegeben ist, soviel mehr Aufmerksamkeit geschenkt, also der Erblichkeit soviel mehr Einfluß zugesprochen haben als der anderen Vorzeit, welche bereits in die individuelle Existenz der Person fällt, der Kindheit nämlich. Man sollte doch meinen, der Einfluß dieser Lebensperiode wäre leichter zu verstehen und hätte ein Anrecht, vor dem der Erblichkeit berücksichtigt zu werden.[1] Man findet zwar in der Literatur gelegentliche Notizen über frühzeitige Sexualbetätigung bei kleinen Kindern, über Erektionen, Masturbation und selbst koitusähnliche Vornahmen, aber immer nur als ausnahmsweise Vorgänge, als Kuriosa oder als abschreckende Beispiele voreiliger Verderbtheit angeführt. Kein Autor hat meines Wissens die Gesetzmäßigkeit eines Sexualtriebes in der Kindheit klar erkannt, und in den zahlreich gewordenen Schriften über die Entwicklung des Kindes wird das Kapitel »Sexuelle Entwicklung« meist übergangen.[2]

---

1 Es ist ja auch nicht möglich, den der Lieblichkeit gebührenden Anteil richtig zu erkennen, ehe man den der Kindheit zugehörigen gewürdigt hat.

2 Die hier niedergeschriebene Behauptung erschien mir selbst nachträglich als so gewagt, daß ich mir vorsetzte, sie durch nochmalige Durchsicht der Literatur zu prüfen. Das Ergebnis dieser Überprüfung war, daß ich sie unverändert

Infantile
Amnesie

Den Grund für diese merkwürdige Vernachlässigung suche ich zum Teil in den konventionellen Rücksichten, denen die Autoren infolge ihrer eigenen Erziehung Rechnung tragen, zum anderen Teil in einem psychischen Phänomen, welches sich bis jetzt selbst der Er-

---

stehenließ. Die wissenschaftliche Bearbeitung der leiblichen wie der seelischen Phänomene der Sexualität im Kindesalter befindet sich in den ersten Anfängen. Ein Autor, S. Bell (A preliminary study of the emotion of love between the sexes. American Journal of Psychology, XIII, 1902), äußert: *I know of no scientist, who has given a carefull analysis of the emotion as it is seen in the adolescent.* – Somatische Sexualäußerungen aus der Zeit vor der Pubertät haben nur im Zusammenhange mit Entartungserscheinungen und als Zeichen von Entartung Aufmerksamkeit gewonnen. – Ein Kapitel über das Liebesleben der Kinder fehlt in allen Darstellungen der Psychologie dieses Alters, die ich gelesen habe, so in den bekannten Werken von Preyer, Baldwin (Die Entwicklung des Geistes beim Kinde und bei der Rasse, 1898), Pérez (L'enfant de 3–7 ans, 1886), Strümpell (Die pädagogische Pathologie, 1899), Karl Groos (Das Seelenleben des Kindes, 1904), Th. Heller (Grundriß der Heilpädagogik, 1904), Sully (Untersuchungen über die Kindheit, 1898) und anderen. Den besten Eindruck von dem heutigen Stande auf diesem Gebiet holt man sich aus der Zeitschrift »Die Kinderfehler« (von 1896 an). – Doch gewinnt man die Überzeugung, daß die Existenz der Liebe im Kindesalter nicht mehr entdeckt zu werden braucht. Pérez (l.c.) tritt für sie ein; bei K. Groos (Die Spiele der Menschen, 1899) findet sich als allgemein bekannt erwähnt, »daß manche Kinder schon sehr früh für sexuelle Regungen zugänglich sind und dem anderen Geschlecht gegenüber einen Drang nach Berührungen empfinden« (S. 326); der früheste Fall von Auftreten geschlechtlicher Liebesregungen *(sex-love)* in der Beobachtungsreihe von S. Bell betraf ein Kind in der Mitte des dritten Jahres. – Vergleiche hiezu noch Havelock Ellis, Das Geschlechtsgefühl (übersetzt von Kurella), 1903, Appendix, II.

Das obenstehende Urteil über die Literatur der infantilen Sexualität braucht seit dem Erscheinen des groß angelegten Werkes von Stanley Hall (Adolescence, its psychology and its relations to physiology, anthropology, sociology, sex, crime, religion and education. Two volumes, New York, 1904) nicht mehr aufrechterhalten zu werden. – Das rezente Buch von A. Moll, Das Sexualleben des Kindes, Berlin 1909, bietet keinen Anlaß zu einer solchen Modifikation. Siehe dagegen: Bleuler, Sexuelle Abnormitäten der Kinder. (Jahrbuch der schweizerischen Gesellschaft für Schulgesundheitspflege, IX, 1908.) – Ein Buch von Frau Dr. H.v.Hug-Hellmuth, Aus dem Seelenleben des Kindes, 1913, hat seither dem vernachlässigten sexuellen Faktor vollauf Rechnung getragen.

klärung entzogen hat. Ich meine hiemit die eigentümliche *Amnesie*, welche den meisten Menschen (nicht allen!) die ersten Jahre ihrer Kindheit bis zum 6. oder 8. Lebensjahre verhüllt. Es ist uns bisher noch nicht eingefallen, uns über die Tatsache dieser Amnesie zu verwundern; aber wir hätten guten Grund dazu. Denn man berichtet uns, daß wir in diesen Jahren, von denen wir später nichts im Gedächtnis behalten haben als einige unverständliche Erinnerungsbrocken, lebhaft auf Eindrücke reagiert hätten, daß wir Schmerz und Freude in menschlicher Weise zu äußern verstanden, Liebe, Eifersucht und andere Leidenschaften gezeigt, die uns damals heftig bewegten, ja daß wir Aussprüche getan, die von den Erwachsenen als gute Beweise für Einsicht und beginnende Urteilsfähigkeit gemerkt wurden. Und von alledem wissen wir als Erwachsene aus eigenem nichts. Warum bleibt unser Gedächtnis so sehr hinter unseren anderen seelischen Tätigkeiten zurück? Wir haben doch Grund zu glauben, daß es zu keiner anderen Lebenszeit aufnahms- und reproduktionsfähiger ist als gerade in den Jahren der Kindheit.[1]

Auf der anderen Seite müssen wir annehmen oder können uns durch psychologische Untersuchung an anderen davon überzeugen, daß die nämlichen Eindrücke, die wir vergessen haben, nichtsdestoweniger die tiefsten Spuren in unserem Seelenleben hinterlassen haben und bestimmend für unsere ganze spätere Entwicklung geworden sind. Es kann sich also um gar keinen wirklichen Untergang der Kindheitseindrücke handeln, sondern um eine Amnesie ähnlich jener, die wir bei den Neurotikern für spätere Erlebnisse beobachten und deren Wesen in einer bloßen Abhaltung vom Bewußtsein (Verdrängung) besteht. Aber welche Kräfte bringen diese Verdrängung der Kindheitseindrucke zustande? Wer dieses Rätsel löste, hätte wohl auch die hysterische Amnesie aufgeklärt.

Immerhin wollen wir nicht versäumen hervorzuheben, daß die Existenz der infantilen Amnesie einen neuen Vergleichspunkt zwischen

---

1 Eines der mit den frühesten Kindheitserinnerungen verknüpften Probleme habe ich in einem Aufsatz »Über Deckerinnerungen« (Monatsschrift für Psychiatrie und Neurologie, VI, 1899) zu lösen versucht. (Vgl. »Zur Psychopathologie des Alltagslebens«, IV. Kap. Bd. IV der Ges. Werke.)

dem Seelenzustand des Kindes und dem des Psychoneurotikers schafft. Einem anderen sind wir schon früher begegnet, als sich uns die Formel aufdrängte, daß die Sexualität der Psychoneurotiker den kindlichen Standpunkt bewahrt hat oder auf ihn zurückgeführt worden ist. Wenn nicht am Ende die infantile Amnesie selbst wieder mit den sexuellen Regungen der Kindheit in Beziehung zu bringen ist!

Es ist übrigens mehr als ein bloßes Spiel des Witzes, die infantile Amnesie mit der hysterischen zu verknüpfen. Die hysterische Amnesie, die der Verdrängung dient, wird nur durch den Umstand erklärlich, daß das Individuum bereits einen Schatz von Erinnerungsspuren besitzt, welche der bewußten Verfügung entzogen sind und die nun mit assoziativer Bindung das an sich reißen, worauf vom Bewußten her die abstoßenden Kräfte der Verdrängung wirken.[1] Ohne infantile Amnesie, kann man sagen, gäbe es keine hysterische Amnesie.

Ich meine nun, daß die infantile Amnesie, die für jeden einzelnen seine Kindheit zu einer gleichsam *prähistorischen* Vorzeit macht und ihm die Anfänge seines eigenen Geschlechtslebens verdeckt, die Schuld daran trägt, wenn man der kindlichen Lebensperiode einen Wert für die Entwicklung des Sexuallebens im allgemeinen nicht zutraut. Ein einzelner Beobachter kann die so entstandene Lücke in unserem Wissen nicht ausfüllen. Ich habe bereits 1896 die Bedeutung der Kinderjahre für die Entstehung gewisser wichtiger, vom Geschlechtsleben abhängiger Phänomene betont und seither nicht aufgehört, das infantile Moment für die Sexualität in den Vordergrund zu rücken.

---

1 Man kann den Mechanismus der Verdrängung nicht verstehen, wenn man nur einen dieser beiden zusammenwirkenden Vorgänge berücksichtigt. Zum Vergleich möge die Art dienen, wie der Tourist auf die Spitze der großen Pyramide von Gizeh befördert wird; er wird von der einen Seite gestoßen, von der anderen Seite gezogen.

Die sexuelle Latenzperiode der Kindheit und ihre Durchbrechungen

Die außerordentlich häufigen Befunde von angeblich regelwidrigen und ausnahmsartigen sexuellen Regungen in der Kindheit sowie die Aufdeckung der bis dahin unbewußten Kindheitserinnerungen der Neurotiker gestatten etwa folgendes Bild von dem sexuellen Verhalten der Kinderzeit zu entwerfen[1]:

Es scheint gewiß, daß das Neugeborene Keime von sexuellen Regungen mitbringt, die sich eine Zeitlang weiterentwickeln, dann aber einer fortschreitenden Unterdrückung unterliegen, welche selbst wieder durch regelrechte Vorstöße der Sexualentwicklung durchbrochen und durch individuelle Eigenheiten aufgehalten werden kann. Über die Gesetzmäßigkeit und die Periodizität dieses oszillierenden Entwicklungsganges ist nichts Gesichertes bekannt. Es scheint aber, daß das Sexualleben der Kinder sich zumeist um das dritte oder vierte Lebensjahr in einer der Beobachtung zugänglichen Form zum Ausdruck bringt.[2]

---

1 Letzteres Material wird durch die berechtigte Erwartung verwertbar, daß die Kinderjahre der späteren Neurotiker hierin nicht wesentlich, nur in Hinsicht der Intensität und Deutlichkeit, von denen später Gesunder abweichen dürften.

2 Eine mögliche anatomische Analogie zu dem von mir behaupteten Verhalten der infantilen Sexualfunktion wäre durch den Fund von Bayer (Deutsches Archiv für klinische Medizin, Bd. 73) gegeben, daß die inneren Geschlechtsorgane (Uterus) Neugeborener in der Regel größer sind als die älterer Kinder. Indes ist die Auffassung dieser durch Halban auch für andere Teile des Genitalapparates festgestellten Involution nach der Geburt nicht sichergestellt. Nach Halban (Zeitschrift für Geburtshilfe und Gynäkologie, LIII, 1904) ist dieser Rückbildungsvorgang nach wenigen Wochen des Extrauterinlebens abgelaufen. – Die Autoren, welche den interstitiellen Anteil der Keimdrüse als das geschlechtsbestimmende Organ betrachten, sind durch anatomische Untersuchungen dazu geführt worden, ihrerseits von infantiler Sexualität und sexueller Latenzzeit zu reden. Ich zitiere aus dem S. 51 erwähnten Buche von Lipschütz über die Pubertätsdrüse: »Man wird den Tatsachen viel eher gerecht, wenn man sagt, daß die Ausreifung der Geschlechtsmerkmale, wie sie sich in der Pubertät vollzieht, nur auf einem um diese Zeit stark beschleunigten Ablauf von Vorgängen beruht, die schon viel früher begonnen haben – unserer

Die Sexual-hemmun-gen

Während dieser Periode totaler oder bloß partieller Latenz werden die seelischen Mächte aufgebaut, die später dem Sexualtrieb als Hemmnisse in den Weg treten und gleich wie Dämme seine Richtung beengen werden (der Ekel, das Schamgefühl, die ästhetischen und moralischen Idealanforderungen). Man gewinnt beim Kulturkinde den Eindruck, daß der Aufbau dieser Dämme ein Werk der Erziehung ist, und sicherlich tut die Erziehung viel dazu. In Wirklichkeit ist diese Entwicklung eine organisch bedingte, hereditär fixierte und kann sich gelegentlich ganz ohne Mithilfe der Erziehung herstellen. Die Erziehung verbleibt durchaus in dem ihr angewiesenen Machtbereich, wenn sie sich darauf einschränkt, das organisch Vorgezeichnete nachzuziehen und es etwas sauberer und tiefer auszuprägen.

Reak-tionsbil-dung und Sublimie-rung

Mit welchen Mitteln werden diese für die spätere persönliche Kultur und Normalität so bedeutsamen Konstruktionen aufgeführt? Wahrscheinlich auf Kosten der infantilen Sexualregungen selbst, deren Zufluß also auch in dieser Latenzperiode nicht aufgehört hat, deren Energie aber – ganz oder zum größten Teil – von der sexuellen Verwendung abgeleitet und anderen Zwecken zugeführt wird. Die Kulturhistoriker scheinen einig in der Annahme, daß durch solche Ablenkung sexueller Triebkräfte von sexuellen Zielen und Hinlen-

---

Auffassung nach schon im embryonalen Leben.« (S. 168.) – »*Was man bisher als Pubertät schlechtweg bezeichnet hat, ist wahrscheinlich nur eine zweite große Phase der Pubertät, die um die Mitte des zweiten Jahrzehntes einsetzt...* Das Kindesalter, von der Geburt bis zu Beginn der zweiten großen Phase gerechnet, könnte man als die ›*intermediäre Phase der Pubertät*‹ bezeichnen.« (S. 170.) – Diese in einem Referat von Ferenczi (Int. Zeitschr. f. Psychoanalyse VI, 1920) hervorgehobene Übereinstimmung anatomischer Befunde mit der psychologischen Beobachtung wird durch die eine Angabe gestört, daß der »*erste Gipfelpunkt*« der Entwicklung des Sexualorgans in die frühe Embryonalzeit fällt, während die kindliche Frühblüte des Sexuallebens in das dritte und vierte Lebensjahr zu verlegen ist. Die volle Gleichzeitigkeit der anatomischen Ausbildung mit der psychischen Entwicklung ist natürlich nicht erforderlich. Die betreffenden Untersuchungen sind an der Keimdrüse des Menschen gemacht worden. Da den Tieren eine Latenzzeit im psychologischen Sinne nicht zukommt, läge viel daran zu wissen, ob die anatomischen Befunde, auf deren Grund die Autoren zwei Gipfelpunkte der Sexualentwicklung annehmen, auch an anderen höheren Tieren nachweisbar sind.

kung auf neue Ziele, ein Prozeß, der den Namen *Sublimierung* verdient, mächtige Komponenten für alle kulturellen Leistungen gewonnen werden. Wir würden also hinzufügen, daß der nämliche Prozeß in der Entwicklung des einzelnen Individuums spielt, und seinen Beginn in die sexuelle Latenzperiode der Kindheit verlegen.[1]

Auch über den Mechanismus einer solchen Sublimierung kann man eine Vermutung wagen. Die sexuellen Regungen dieser Kinderjahre wären einerseits unverwendbar, da die Fortpflanzungsfunktionen aufgeschoben sind, was den Hauptcharakter der Latenzperiode ausmacht, andererseits wären sie an sich pervers, das heißt von erogenen Zonen ausgehend und von Trieben getragen, welche bei der Entwicklungsrichtung des Individuums nur Unlustempfindungen hervorrufen könnten. Sie rufen daher seelische Gegenkräfte (Reaktionsregungen) wach, die zur wirksamen Unterdrückung solcher Unlust die erwähnten psychischen Dämme: Ekel, Scham und Moral, aufbauen.[2]

Ohne uns über die hypothetische Natur und die mangelhafte Klarheit unserer Einsichten in die Vorgänge der kindlichen Latenz- oder Aufschubsperiode zu täuschen, wollen wir zur Wirklichkeit zurückkehren, um anzugeben, daß solche Verwendung der infantilen Sexualität ein Erziehungsideal darstellt, von dem die Entwicklung der einzelnen meist an irgendeiner Stelle und oft in erheblichem Maße abweicht. Es bricht zeitweise ein Stück Sexualäußerung durch, das sich der Sublimierung entzogen hat, oder es erhält sich eine sexuelle Betätigung durch die ganze Dauer der Latenzperiode bis zum verstärkten Hervorbrechen des Sexualtriebes in der Pubertät. Die Erzieher benehmen sich, insofern sie überhaupt der Kindersexualität Aufmerksamkeit schenken, genauso, als teilten sie unsere Ansichten über die Bildung der moralischen Abwehrmächte auf

Durchbrüche der Latenzzeit

---

1 Die Bezeichnung »sexuelle Latenzperiode« entlehne ich ebenfalls von W. Fließ.

2 In dem hier besprochenen Falle geht die Sublimierung sexueller Triebkräfte auf dem Wege der Reaktionsbildung vor sich. Im allgemeinen darf man aber Sublimierung und Reaktionsbildung als zwei verschiedene Prozesse begrifflich voneinander scheiden. Es kann auch Sublimierungen durch andere und einfachere Mechanismen geben.

Kosten der Sexualität und als wüßten sie, daß sexuelle Betätigung das Kind unerziehbar macht, denn sie verfolgen alle sexuellen Äußerungen des Kindes als »Laster«, ohne viel gegen sie ausrichten zu können. Wir aber haben allen Grund, diesen von der Erziehung gefürchteten Phänomenen Interesse zuzuwenden, denn wir erwarten von ihnen den Aufschluß über die ursprüngliche Gestaltung des Geschlechtstriebs.

Die Äußerungen der infantilen Sexualität

Das Lutschen
Aus später zu ersehenden Motiven wollen wir unter den infantilen Sexualäußerungen das *Ludeln* (Wonnesaugen) zum Muster nehmen, dem der ungarische Kinderarzt Lindner eine ausgezeichnete Studie gewidmet hat.[1]

Das *Ludeln* oder *Lutschen*, das schon beim Säugling auftritt und bis in die Jahre der Reife fortgesetzt werden oder sich durchs ganze Leben erhalten kann, besteht in einer rhythmisch wiederholten saugenden Berührung mit dem Munde (den Lippen), wobei der Zweck der Nahrungsaufnahme ausgeschlossen ist. Ein Teil der Lippe selbst, die Zunge, eine beliebige andere erreichbare Hautstelle – selbst die große Zehe – werden zum Objekt genommen, an dem das Saugen ausgeführt wird. Ein dabei auftretender Greiftrieb äußert sich etwa durch gleichzeitiges rhythmisches Zupfen der Ohrläppchen und kann sich eines Teiles einer anderen Person (meist ihres Ohres) zu gleichem Zwecke bemächtigen. Das Wonnesaugen ist mit voller Aufzehrung der Aufmerksamkeit verbunden, führt entweder zum Einschlafen oder selbst zu einer motorischen Reaktion in einer Art von Orgasmus.[2] Nicht selten kombiniert sich mit dem Wonne-

---

1 Im Jahrbuch für Kinderheilkunde, N. F., XIV. 1879.

2 Hier erweist sich bereits, was fürs ganze Leben Gültigkeit hat, daß sexuelle Befriedigung das beste Schlafmittel ist. Die meisten Fälle von nervöser Schlaflosigkeit gehen auf sexuelle Unbefriedigung zurück. Es ist bekannt, daß gewissenlose Kinderfrauen die schreienden Kinder durch Streichen an den Genitalien einschläfern.

saugen die reibende Berührung gewisser empfindlicher Körperstellen, der Brust, der äußeren Genitalien. Auf diesem Wege gelangen
viele Kinder vom Ludeln zur Masturbation.

Lindner selbst hat die sexuelle Natur dieses Tuns klar erkannt und
rückhaltlos betont. In der Kinderstube wird das Ludeln häufig den
anderen sexuellen »Unarten« des Kindes gleichgestellt. Von seiten
zahlreicher Kinder- und Nervenärzte ist ein sehr energischer Einspruch gegen diese Auffassung erhoben worden, der zum Teil gewiß
auf der Verwechslung von »sexuell« und »genital« beruht. Dieser
Widerspruch wirft die schwierige und nicht abzuweisende Frage
auf, an welchem allgemeinen Charakter wir die sexuellen Äußerungen des Kindes erkennen wollen. Ich meine, daß der Zusammenhang der Erscheinungen, in welchen wir durch die psychoanalytische Untersuchung Einsicht gewonnen haben, uns berechtigt, das
Ludeln als eine sexuelle Äußerung in Anspruch zu nehmen und
grade an ihm die wesentlichen Züge der infantilen Sexualbetätigung
zu studieren.[1]

Wir haben die Verpflichtung, dieses Beispiel eingehend zu würdigen. Heben wir als den auffälligsten Charakter dieser Sexualbetätigung hervor, daß der Trieb nicht auf andere Personen gerichtet ist;
er befriedigt sich am eigenen Körper, er ist *autoerotisch*, um es mit
einem glücklichen, von Havelock Ellis eingeführten Namen zu
sagen.[2]

**Auto-
erotismus**

---

1 Ein Dr. Galant hat 1919 im Neurol. Zentralbl. Nr. 20 unter dem Titel »Das
Lutscherli« das Bekenntnis eines erwachsenen Mädchens veröffentlicht, welches diese kindliche Sexualbetätigung nicht aufgegeben hat und die Befriedigung durch das Lutschen als völlig analog einer sexuellen Befriedigung, insbesondere durch den Kuß des Geliebten, schildert. »Nicht alle Küsse gleichen
einem Lutscherli: nein, nein, lange nicht alle! Man kann nicht schreiben, wie
wohlig es einem durch den ganzen Körper beim Lutschen geht; man ist einfach
weg von dieser Welt, man ist ganz zufrieden und wunschlos glücklich. Es ist
ein wunderbares Gefühl; man verlangt nichts als Ruhe, Ruhe, die gar nicht
unterbrochen werden soll. Es ist einfach unsagbar schön: man spürt keinen
Schmerz, kein Weh und Ach, man ist entrückt in eine andere Welt.«
2 H. Ellis hat den Terminus »autoerotisch« allerdings etwas anders bestimmt,
im Sinne einer Erregung, die nicht von außen hervorgerufen wird, sondern im
Innern selbst entspringt. Für die Psychoanalyse ist nicht die Genese, sondern
die Beziehung zu einem Objekt das Wesentliche.

Es ist ferner deutlich, daß die Handlung des lutschenden Kindes durch das Suchen nach einer – bereits erlebten und nun erinnerten – Lust bestimmt wird. Durch das rhythmische Saugen an einer Haut- oder Schleimhautstelle findet es dann im einfachsten Falle die Befriedigung. Es ist auch leicht zu erraten, bei welchen Anlässen das Kind die ersten Erfahrungen dieser Lust gemacht hat, die es nun zu erneuern strebt. Die erste und lebenswichtigste Tätigkeit des Kindes, das Saugen an der Mutterbrust (oder an ihren Surrogaten), muß es bereits mit dieser Lust vertraut gemacht haben. Wir würden sagen, die Lippen des Kindes haben sich benommen wie eine *erogene Zone*, und die Reizung durch den warmen Milchstrom war wohl die Ursache der Lustempfindung. Anfangs war wohl die Befriedigung der erogenen Zone mit der Befriedigung des Nahrungsbedürfnisses vergesellschaftet. Die Sexualbetätigung lehnt sich zunächst an eine der zur Lebenserhaltung dienenden Funktionen an und macht sich erst später von ihr selbständig. Wer ein Kind gesättigt von der Brust zurücksinken sieht, mit geröteten Wangen und seligem Lächeln in Schlaf verfallen, der wird sich sagen müssen, daß dieses Bild auch für den Ausdruck der sexuellen Befriedigung im späteren Leben maßgebend bleibt. Nun wird das Bedürfnis nach Wiederholung der sexuellen Befriedigung von dem Bedürfnis nach Nahrungsaufnahme getrennt, eine Trennung, die unvermeidlich ist, wenn die Zähne erscheinen und die Nahrung nicht mehr ausschließlich eingesogen, sondern gekaut wird. Eines fremden Objektes bedient sich das Kind zum Saugen nicht, sondern lieber einer eigenen Hautstelle, weil diese ihm bequemer ist, weil es sich so von der Außenwelt unabhängig macht, die es zu beherrschen noch nicht vermag, und weil es sich solcherart gleichsam eine zweite, wenngleich minderwertige erogene Zone schafft. Die Minderwertigkeit dieser zweiten Stelle wird es später mit dazu veranlassen, die gleichartigen Teile, die Lippen, einer anderen Person zu suchen. (»Schade, daß ich mich nicht küssen kann«, möchte man ihm unterlegen.)

Nicht alle Kinder lutschen. Es ist anzunehmen, daß jene Kinder dazu gelangen, bei denen die erogene Bedeutung der Lippenzone konstitutionell verstärkt ist. Bleibt diese erhalten, so werden diese Kinder als Erwachsene Kußfeinschmecker werden, zu perversen Küssen neigen oder als Männer ein kräftiges Motiv zum Trinken und Rauchen mitbringen. Kommt aber die Verdrängung hinzu, so werden sie Ekel vor dem Essen empfinden und hysterisches Erbrechen produzieren. Kraft der Gemeinsamkeit der Lippenzone wird die Verdrängung auf den Nahrungstrieb übergreifen. Viele meiner Patientinnen mit Eßstörungen, hysterischem Globus, Schnüren im Hals und Erbrechen waren in den Kinderjahren energische Ludlerinnen gewesen.

Am Lutschen oder Wonnesaugen haben wir bereits die drei wesentlichen Charaktere einer infantilen Sexualäußerung bemerken können. Dieselbe entsteht in *Anlehnung* an eine der lebenswichtigen Körperfunktionen, sie kennt noch kein Sexualobjekt, ist *autoerotisch*, und ihr Sexualziel steht unter der Herrschaft einer *erogenen Zone*. Nehmen wir vorweg, daß diese Charaktere auch für die meisten anderen Betätigungen der infantilen Sexualtriebe gelten.

Das Sexualziel der infantilen Sexualität

Aus dem Beispiel des Ludelns ist zur Kennzeichnung einer erogenen Zone noch mancherlei zu entnehmen. Es ist eine Haut- oder Schleimhautstelle, an der Reizungen von gewisser Art eine Lustempfindung von bestimmter Qualität hervorrufen. Es ist kein Zweifel, daß die lusterzeugenden Reize an besondere Bedingungen gebunden sind; wir kennen dieselben nicht. Der rhythmische Charakter muß unter ihnen eine Rolle spielen, die Analogie mit dem Kitzelreiz drängt sich auf. Minder ausgemacht scheint es, ob man den Charakter der durch den Reiz hervorgerufenen Lustempfindung als einen »besonderen« bezeichnen darf, wo in dieser Besonderheit eben das sexuelle Moment enthalten wäre. In Sachen der Lust und Unlust tappt die Psychologie noch so sehr im dunkeln, daß die vorsichtigste Annahme die empfehlenswerteste sein wird. Wir werden später vielleicht auf Gründe stoßen, welche die Besonderheitsqualität der Lustempfindung zu unterstützen scheinen.

Die erogene Eigenschaft kann einzelnen Körperstellen in ausgezeichneter Weise anhaften. Es gibt prädestinierte erogene Zonen, wie das Beispiel des Ludelns zeigt. Dasselbe Beispiel lehrt aber

auch, daß jede beliebige andere Haut- und Schleimhautstelle die
Dienste einer erogenen Zone auf sich nehmen kann, also eine gewisse Eignung dazu mitbringen muß. Die Qualität des Reizes hat
also mit der Erzeugung der Lustempfindung mehr zu tun als die
Beschaffenheit der Körperstelle. Das ludelnde Kind sucht an seinem
Körper herum und wählt sich irgendeine Stelle zum Wonnesaugen
aus, die ihm dann durch Gewöhnung die bevorzugte wird; wenn es
zufällig dabei auf eine der prädestinierten Stellen stößt (Brustwarze,
Genitalien), so verbleibt freilich dieser der Vorzug. Die ganz ana-
loge Verschiebbarkeit kehrt dann in der Symptomatologie der Hysterie wieder. Bei dieser Neurose betrifft die Verdrängung die
eigentlichen Genitalzonen am allermeisten, und diese geben ihre
Reizbarkeit an die übrigen, sonst im reifen Leben zurückgesetzten
erogenen Zonen ab, die sich dann ganz wie Genitalien gebärden.
Aber außerdem kann ganz wie beim Ludeln jede beliebige andere
Körperstelle mit der Erregbarkeit der Genitalien ausgestattet und
zur erogenen Zone erhoben werden. Erogene und hysterogene Zonen zeigen die nämlichen Charaktere.[1]

Infantiles Sexualziel Das Sexualziel des infantilen Triebes besteht darin, die Befriedigung
durch die geeignete Reizung der so oder so gewählten erogenen
Zone hervorzurufen. Diese Befriedigung muß vorher erlebt worden
sein, um ein Bedürfnis nach ihrer Wiederholung zurückzulassen,
und wir dürfen darauf vorbereitet sein, daß die Natur sichere Vorrichtungen getroffen hat, um dieses Erleben der Befriedigung nicht
dem Zufalle zu überlassen.[2] Die Veranstaltung, welche diesen
Zweck für die Lippenzone erfüllt, haben wir bereits kennengelernt,
es ist die gleichzeitige Verknüpfung dieser Körperstelle mit der
Nahrungsaufnahme. Andere ähnliche Vorrichtungen werden uns
noch als Quellen der Sexualität begegnen. Der Zustand des Bedürf-

---

1 Weitere Überlegungen und die Verwertung anderer Beobachtungen führen
dazu, die Eigenschaft der Erogeneität allen Körperstellen und inneren Orga-
nen zuzusprechen. Vgl. hiezu weiter unten über den Narzißmus.
2 Man kann es in biologischen Erörterungen kaum vermeiden, sich der teleolo-
gischen Denkweise zu bedienen, obwohl man weiß, daß man im einzelnen
Falle gegen den Irrtum nicht gesichert ist.

nisses nach Wiederholung der Befriedigung verrät sich durch zweierlei: durch ein eigentümliches Spannungsgefühl, welches an sich
mehr den Charakter der Unlust hat, und durch eine *zentral bedingte*, in die peripherische erogene Zone projizierte Juck- oder
Reizempfindung. Man kann das Sexualziel darum auch so formulie-
ren, es käme darauf an, die projizierte Reizempfindung an der erogenen Zone durch denjenigen äußeren Reiz zu ersetzen, welcher die
Reizempfindung aufhebt, indem er die Empfindung der Befriedigung hervorruft. Dieser äußere Reiz wird zumeist in einer Manipu-
lation bestehen, die analog dem Saugen ist.

Es ist nur im vollen Einklang mit unserem physiologischen Wissen,
wenn es vorkommt, daß das Bedürfnis auch peripherisch, durch
eine wirkliche Veränderung an der erogenen Zone geweckt wird. Es
wirkt nur einigermaßen befremdend, da der eine Reiz zu seiner Aufhebung nach einem zweiten, an derselben Stelle angebrachten zu
verlangen scheint.

Die masturbatorischen Sexualäußerungen[1]

Es kann uns nur höchst erfreulich sein zu finden, daß wir von der
Sexualbetätigung des Kindes nicht mehr viel Wichtiges zu lernen
haben, nachdem uns der Trieb von einer einzigen erogenen Zone her
verständlich geworden ist. Die deutlichsten Unterschiede beziehen
sich auf die zur Befriedigung notwendige Vornahme, die für die Lippenzone im Saugen bestand und die je nach Lage und Beschaffenheit
der anderen Zonen durch andere Muskelaktionen ersetzt werden
muß.

Die Afterzone ist ähnlich wie die Lippenzone durch ihre Lage geeignet, eine *Anlehnung* der Sexualität an andere Körperfunktionen
zu vermitteln. Man muß sich die erogene Bedeutung dieser Körper-

*Betäti-
gung der
Afterzone*

---

1 Vgl. hiezu die sehr reichhaltige, aber meist in den Gesichtspunkten unorien-
tierte Literatur über Onanie, z. B. Rohleder, Die Masturbation, 1899, ferner
das II. Heft der »Diskussionen der Wiener Psychoanalytischen Vereinigung«,
»Die Onanie«, Wiesbaden 1912.

stelle als ursprünglich sehr groß vorstellen. Durch die Psychoanalyse erfährt man dann nicht ohne Verwunderung, welche Umwandlungen mit den von hier ausgehenden sexuellen Erregungen normalerweise vorgenommen werden und wie häufig der Zone noch ein beträchtliches Stück genitaler Reizbarkeit fürs Leben verbleibt.[1] Die so häufigen Darmstörungen der Kinderjahre sorgen dafür, daß es der Zone an intensiven Erregungen nicht fehle. Darmkatarrhe im zartesten Alter machen »nervös«, wie man sich ausdrückt; bei späterer neurotischer Erkrankung nehmen sie einen bestimmenden Einfluß auf den symptomatischen Ausdruck der Neurose, welcher sie die ganze Summe von Darmstörungen zur Vergügung stellen. Mit Hinblick auf die wenigstens in Umwandlung erhalten gebliebene erogene Bedeutung der Darmausgangszone darf man auch die hämorrhoidalen Einflüsse nicht verlachen, denen die ältere Medizin für die Erklärung neurotischer Zustände soviel Gewicht beigelegt hat.

Kinder, welche die erogene Reizbarkeit der Afterzone ausnützen, verraten sich dadurch, daß sie die Stuhlmassen zurückhalten, bis dieselben durch ihre Anhäufung heftige Muskelkontraktionen anregen und beim Durchgang durch den After einen starken Reiz auf die Schleimhaut ausüben können. Dabei muß wohl neben der schmerzhaften die Wollustempfindung zustande kommen. Es ist eines der besten Vorzeichen späterer Absonderlichkeit oder Nervosität, wenn ein Säugling sich hartnäckig weigert, den Darm zu entleeren, wenn er auf den Topf gesetzt wird, also wenn es dem Pfleger beliebt, sondern diese Funktion seinem eigenen Belieben vorbehält. Es kommt ihm natürlich nicht darauf an, sein Lager schmutzig zu machen; er sorgt nur, daß ihm der Lustnebengewinn bei der Defäkation nicht entgehe. Die Erzieher ahnen wiederum das Richtige, wenn sie solche Kinder, die sich diese Verrichtungen »aufheben«, schlimm nennen.

Der Darminhalt, der als Reizkörper für eine sexuell empfindliche Schleimhautfläche sich wie der Vorläufer eines anderen Organs benimmt, welches erst nach der Kindheitsphase in Aktion treten soll, hat für den Säugling noch andere wichtige Bedeutungen. Er wird

---

1 Vgl. die Aufsätze »Charakter und Analerotik« und »Über Triebumsetzungen insbesondere der Analerotik« (Ges. Werke, Bd. VII und X).

Die infantile Sexualität

offenbar wie ein zugehöriger Körperteil behandelt, stellt das erste »Geschenk« dar, durch dessen Entäußerung die Gefügigkeit, durch dessen Verweigerung der Trotz des kleinen Wesens gegen seine Umgebung ausgedrückt werden kann. Vom »Geschenk« aus gewinnt er dann später die Bedeutung des »Kindes«, das nach einer der infantilen Sexualtheorien durch Essen erworben und durch den Darm geboren wird.

Die Zurückhaltung der Fäkalmassen, die also anfangs eine absichtliche ist, um sie zur gleichsam masturbatorischen Reizung der Afterzone zu benützen oder in der Relation zu den Pflegepersonen zu verwenden, ist übrigens eine der Wurzeln der bei den Neuropathen so häufigen Obstipation. Die ganze Bedeutung der Afterzone spiegelt sich dann in der Tatsache, daß man nur wenige Neurotiker findet, die nicht ihre besonderen skatologischen Gebräuche, Zeremonien und dergleichen hätten, die von ihnen sorgfältig geheimgehalten werden.[1]

Echte masturbatorische Reizung der Afterzone mit Hilfe des Fingers, durch zentral bedingtes oder peripherisch unterhaltenes Jukken hervorgerufen, ist bei älteren Kindern keineswegs selten.

Unter den erogenen Zonen des kindlichen Körpers befindet sich eine, die gewiß nicht die erste Rolle spielt, auch nicht die Trägerin der ältesten sexuellen Regungen sein kann, die aber zu großen Dingen in der Zukunft bestimmt ist. Sie ist beim männlichen wie beim weiblichen Kind in Beziehung zur Harnentleerung gebracht

Betätigung der Genitalzonen

---

1 In einer Arbeit, welche unser Verständnis für die Bedeutung der Analerotik außerordentlich vertieft (»Anal« und »Sexual«, Imago IV, 1916), hat Lou Andreas-Salomé ausgeführt, daß die Geschichte des ersten Verbotes, welches an das Kind herantritt, des Verbotes, aus der Analtätigkeit und ihren Produkten Lust zu gewinnen, für seine ganze Entwicklung maßgebend wird. Das kleine Wesen muß bei diesem Anlasse zuerst die seinen Triebregungen feindliche Umwelt ahnen, sein eigenes Wesen von diesem Fremden sondern lernen und dann die erste »Verdrängung« an seinen Lustmöglichkeiten vollziehen. Das »Anale« bleibt von da an das Symbol für alles zu Verwerfende, vom Leben Abzuscheidende. Der später geforderten reinlichen Scheidung von Anal- und Genitalvorgängen widersetzen sich die nahen anatomischen und funktionellen Analogien und Beziehungen zwischen beiden. Der Genitalapparat bleibt der Kloake benachbart, »ist ihr beim Weibe sogar nur abgemietet«.

(Eichel, Klitoris) und beim ersteren in einen Schleimhautsack einbezogen, so daß es ihr an Reizungen durch Sekrete, welche die sexuelle Erregung frühzeitig anfachen können, nicht fehlen kann. Die sexuellen Betätigungen dieser erogenen Zone, die den wirklichen Geschlechtsteilen angehört, sind ja der Beginn des später »normalen« Geschlechtslebens.

Durch die anatomische Lage, die Überströmung mit Sekreten, durch die Waschungen und Reibungen der Körperpflege und durch gewisse akzidentelle Erregungen (wie die Wanderungen von Eingeweidewürmern bei Mädchen) wird es unvermeidlich, daß die Lustempfindung, welche diese Körperstelle zu ergeben fähig ist, sich dem Kinde schon im Säuglingsalter bemerkbar mache und ein Bedürfnis nach ihrer Wiederholung erwecke. Überblickt man die Summe der vorliegenden Einrichtungen und bedenkt, daß die Maßregeln zur Reinhaltung kaum anders wirken können als die Verunreinigung, so wird man sich kaum der Auffassung entziehen können, daß durch die Säuglingsonanie, der kaum ein Individuum entgeht, das künftige Primat dieser erogenen Zone für die Geschlechtstätigkeit festgelegt wird. Die den Reiz beseitigende und die Befriedigung auslösende Aktion besteht in einer reibenden Berührung mit der Hand oder in einem gewiß reflektorisch vorgebildeten Druck durch die Hand oder die zusammenschließenden Oberschenkel. Letztere Vornahme ist die beim Mädchen weitaus häufigere. Beim Knaben weist die Bevorzugung der Hand bereits darauf hin, welchen wichtigen Beitrag zur männlichen Sexualtätigkeit der Bemächtigungstrieb einst leisten wird.[1]

Es wird der Klarheit nur förderlich sein, wenn ich angebe, daß man drei Phasen der infantilen Masturbation zu unterscheiden hat. Die erste von ihnen gehört der Säuglingszeit an, die zweite der kurzen Blütezeit der Sexualbetätigung um das vierte Lebensjahr, erst die dritte entspricht der oft ausschließlich gewürdigten Pubertätsonanie.

---

1 Ungewöhnliche Techniken bei der Ausführung der Onanie in späteren Jahren scheinen auf den Einfluß eines überwundenen Onanieverbotes hinzuweisen.

Die Säuglingsonanie scheint nach kurzer Zeit zu schwinden, doch kann mit der ununterbrochenen Fortsetzung derselben bis zur Pubertät bereits die große Abweichung von der für den Kulturmenschen anzustrebenden Entwicklung gegeben sein. Irgend einmal in den Kinderjahren nach der Säuglingszeit, gewöhnlich vor dem vierten Jahr, pflegt der Sexualtrieb dieser Genitalzone wieder zu erwachen und dann wiederum eine Zeitlang bis zu einer neuen Unterdrückung anzuhalten oder sich ohne Unterbrechung fortzusetzen. Die möglichen Verhältnisse sind sehr mannigfaltig und können nur durch genauere Zergliederung einzelner Fälle erörtert werden. Aber alle Einzelheiten dieser *zweiten* infantilen Sexualbetätigung hinterlassen die tiefsten (unbewußten) Eindrucksspuren im Gedächtnis der Person, bestimmen die Entwicklung ihres Charakters, wenn sie gesund bleibt, und die Symptomatik der Neurose, wenn sie nach der Pubertät erkrankt.[1] Im letzteren Falle findet man diese Sexualperiode vergessen, die für sie zeugenden bewußten Erinnerungen verschoben; – ich habe schon erwähnt, daß ich auch die normale infantile Amnesie mit dieser infantilen Sexualbetätigung in Zusammenhang bringen möchte. Durch psychoanalytische Erforschung gelingt es, das Vergessene bewußtzumachen und damit einen Zwang zu beseitigen, der vom unbewußten psychischen Material ausgeht.

Die zweite Phase der kindlichen Masturbation

Die Sexualerregung der Säuglingszeit kehrt in den bezeichneten Kinderjahren entweder als zentral bedingter Kitzelreiz wieder, der zur onanistischen Befriedigung auffordert, oder als pollutionsartiger Vorgang, der analog der Pollution der Reifezeit die Befriedigung ohne Mithilfe einer Aktion erreicht. Letzterer Fall ist der bei Mädchen und in der zweiten Hälfte der Kindheit häufigere, in seiner Bedingtheit nicht ganz verständlich und scheint oft – nicht regelmäßig – eine Periode früherer aktiver Onanie zur Voraussetzung zu

Wiederkehr der Säuglingsmasturbation

---

1 Warum das Schuldbewußtsein der Neurotiker regelmäßig, wie noch kürzlich Bleuler anerkannt hat, an die erinnerte onanistische Betätigung, meist der Pubertätszeit, anknüpft, harrt noch einer erschöpfenden analytischen Aufklärung. Der gröbste und wichtigste Faktor dieser Bedingtheit dürfte wohl die Tatsache sein, daß die Onanie ja die Exekutive der ganzen infantilen Sexualität darstellt und darum befähigt ist, das dieser anhaftende Schuldgefühl zu übernehmen.

haben. Die Symptomatik dieser Sexualäußerungen ist armselig; für den noch unterentwickelten Geschlechtsapparat gibt meist der Harnapparat, gleichsam als sein Vormund, Zeichen. Die meisten sogenannten Blasenleiden dieser Zeit sind sexuelle Störungen; die Enuresis nocturna entspricht, wo sie nicht einen epileptischen Anfall darstellt, einer Pollution.

Für das Wiederauftreten der sexuellen Tätigkeit sind innere Ursachen und äußere Anlässe maßgebend, die beide in neurotischen Erkrankungsfällen aus der Gestaltung der Symptome zu erraten und durch die psychoanalytische Forschung mit Sicherheit aufzudecken sind. Von den inneren Ursachen wird später die Rede sein; die zufälligen äußeren Anlässe gewinnen um diese Zeit eine große und nachhaltige Bedeutung. Voran steht der Einfluß der Verführung, die das Kind vorzeitig als Sexualobjekt behandelt und es unter eindrucksvollen Umständen die Befriedigung von den Genitalzonen kennen lehrt, welche sich onanistisch zu erneuern es dann meist gezwungen bleibt. Solche Beeinflussung kann von Erwachsenen oder anderen Kindern ausgehen; ich kann nicht zugestehen, daß ich in meiner Abhandlung 1896 »Über die Ätiologie der Hysterie« die Häufigkeit oder die Bedeutung derselben überschätzt habe, wenngleich ich damals noch nicht wußte, daß normal gebliebene Individuen in ihren Kinderjahren die nämlichen Erlebnisse gehabt haben können, und darum die Verführung höher wertete als die in der sexuellen Konstitution und Entwicklung gegebenen Faktoren.[1] Es ist selbstverständlich, daß es der Verführung nicht bedarf, um das Sexualleben des Kindes zu wecken, daß solche Erweckung auch spontan aus inneren Ursachen vor sich gehen kann.

---

1 Havelock Ellis bringt in einem Anhang zu seiner Studie über das »Geschlechtsgefühl« (1903) eine Anzahl autobiographischer Berichte von später vorwiegend normal gebliebenen Personen über ihre ersten geschlechtlichen Regungen in der Kindheit und die Anlässe derselben. Diese Berichte leiden natürlich an dem Mangel, daß sie die durch die infantile Amnesie verdeckte, prähistorische Vorzeit des Geschlechtslebens nicht enthalten, welche nur durch Psychoanalyse bei einem neurotisch gewordenen Individuum ergänzt werden kann. Dieselben sind aber trotzdem in mehr als einer Hinsicht wertvoll, und Erkundigungen der gleichen Art haben mich zu der im Text erwähnten Modifikation meiner ätiologischen Annahmen bestimmt.

Es ist lehrreich, daß das Kind unter dem Einfluß der Verführung polymorph pervers werden, zu allen möglichen Überschreitungenverleitet werden kann. Dies zeigt, daß es die Eignung dazu in seiner Anlage mitbringt; die Ausführung findet darum geringe Widerstände, weil die seelischen Dämme gegen sexuelle Ausschreitungen, Scham, Ekel und Moral, je nach dem Alter des Kindes noch nicht aufgeführt oder erst in Bildung begriffen sind. Das Kind verhält sich hierin nicht anders als etwa das unkultivierte Durchschnittsweib, bei dem die nämliche polymorph perverse Veranlagung erhalten bleibt. Dieses kann unter den gewöhnlichen Bedingungen etwa sexuell normal bleiben, unter der Leitung eines geschickten Verführers wird es an allen Perversionen Geschmack finden und dieselben für seine Sexualbetätigung festhalten. Die nämliche polymorphe, also infantile Anlage beutet dann die Dirne für ihre Berufstätigkeit aus, und bei der riesigen Anzahl der prostituierten Frauen und solcher, denen man die Eignung zur Prostitution zusprechen muß, obwohl sie dem Berufe entgangen sind, wird es endgültig unmöglich, in der gleichmäßigen Anlage zu allen Perversionen nicht das allgemein Menschliche und Ursprüngliche zu erkennen.

Polymorph perverse Anlage

Im übrigen hilft der Einfluß der Verführung nicht dazu, die anfänglichen Verhältnisse des Geschlechtstriebes zu enthüllen, sondern verwirrt unsere Einsicht in dieselben, indem er dem Kinde vorzeitig das Sexualobjekt zuführt, nach dem der infantile Sexualtrieb zunächst kein Bedürfnis zeigt. Indes müssen wir zugestehen, daß auch das kindliche Sexualleben, bei allem Überwiegen der Herrschaft erogener Zonen, Komponenten zeigt, für welche andere Personen als Sexualobjekte von Anfang an in Betracht kommen. Solcher Art sind die in gewisser Unabhängigkeit von erogenen Zonen auftretenden Triebe der Schau- und Zeigelust und der Grausamkeit, die in ihre innigen Beziehungen zum Genitalleben erst später eintreten, aber schon in den Kinderjahren als zunächst von der erogenen Sexualtätigkeit gesonderte, selbständige Strebungen bemerkbar werden. Das kleine Kind ist vor allem schamlos und zeigt in gewissen frühen Jahren ein unzweideutiges Vergnügen an der Entblößung seines Körpers mit besonderer Hervorhebung der Geschlechtsteile. Das Gegenstück dieser als pervers geltenden Neigung, die Neugierde, Genitalien anderer Personen zu sehen, wird wahrscheinlich

Partialtriebe

erst in etwas späteren Kinderjahren offenkundig, wenn das Hindernis des Schamgefühles bereits eine gewisse Entwicklung erreicht hat. Unter dem Einfluß der Verführung kann Schauperversion eine große Bedeutung für das Sexualleben des Kindes erreichen. Doch muß ich aus meinen Erforschungen der Kinderjahre Gesunder wie neurotisch Kranker den Schluß ziehen, daß der Schautrieb beim Kinde als spontane Sexualäußerung aufzutreten vermag. Kleine Kinder, deren Aufmerksamkeit einmal auf die eigenen Genitalien – meist masturbatorisch – gelenkt ist, pflegen den weiteren Fortschritt ohne fremdes Dazutun zu treffen und lebhaftes Interesse für die Genitalien ihrer Gespielen zu entwickeln. Da sich die Gelegenheit, solche Neugierde zu befriedigen, meist nur bei der Befriedigung der beiden exkrementellen Bedürfnisse ergibt, werden solche Kinder zu Voyeurs, eifrigen Zuschauern bei der Harn- und Kotentleerung anderer. Nach eingetretener Verdrängung dieser Neigungen bleibt die Neugierde, fremde Genitalien (des eigenen oder des anderen Geschlechtes) zu sehen, als quälender Drang bestehen, der bei manchen neurotischen Fällen dann die stärkste Triebkraft für die Symptombildung abgibt.

In noch größerer Unabhängigkeit von der sonstigen, an erogene Zonen gebundenen Sexualbetätigung entwickelt sich beim Kinde die Grausamkeitskomponente des Sexualtriebes. Grausamkeit liegt dem kindlichen Charakter überhaupt nahe, da das Hemmnis, welches den Bemächtigungstrieb vor dem Schmerz des anderen haltmachen läßt, die Fähigkeit zum Mitleiden, sich verhältnismäßig spät ausbildet. Die gründliche psychologische Analyse dieses Triebes ist bekanntlich noch nicht geglückt; wir dürfen annehmen, daß die grausame Regung vom Bemächtigungstrieb herstammt und zu einer Zeit im Sexualleben auftritt, da die Genitalien noch nicht ihre spätere Rolle aufgenommen haben. Sie beherrscht dann eine Phase des Sexuallebens, die wir später als prägenitale Organisation beschreiben werden. Kinder, die sich durch besondere Grausamkeit gegen Tiere und Gespielen auszeichnen, erwecken gewöhnlich mit Recht den Verdacht auf intensive und vorzeitige Sexualbetätigung von erogenen Zonen her, und bei gleichzeitiger Frühreife aller sexuellen Triebe scheint die erogene Sexualbetätigung doch die primäre zu sein. Der Wegfall der Mitleidsschranke bringt die Gefahr

mit sich, daß diese in der Kindheit erfolgte Verknüpfung der grausa-
men mit den erogenen Trieben sich späterhin im Leben als unlösbar
erweise.

Als eine erogene Wurzel des passiven Triebes zur Grausamkeit (des
Masochismus) ist die schmerzhafte Reizung der Gesäßhaut allen Er-
ziehern seit dem Selbstbekenntnis Jean Jacques Rousseaus bekannt.
Sie haben hieraus mit Recht die Forderung abgeleitet, daß die kör-
perliche Züchtigung, die zumeist diese Körperpartie trifft, bei all
den Kindern zu unterbleiben habe, bei denen durch die späteren
Anforderungen der Kulturerziehung die Libido auf die kollateralen
Wege gedrängt werden mag.[1]

Die infantile Sexualforschung

Um dieselbe Zeit, da das Sexualleben des Kindes seine erste Blüte
erreicht, vom dritten bis zum fünften Jahr, stellen sich bei ihm auch
die Anfänge jener Tätigkeit ein, die man dem Wiß- oder Forscher-

**Der
Wißtrieb**

---

1 Zu den obenstehenden Behauptungen über die infantile Sexualität war ich im
Jahre 1905 wesentlich durch die Resultate psychoanalytischer Erforschung
von Erwachsenen berechtigt. Die direkte Beobachtung am Kinde konnte damals nicht im vollen Ausmaß benützt werden und hatte nur vereinzelte Winke
und wertvolle Bestätigungen ergeben. Seither ist es gelungen, durch die Analyse einzelner Fälle von nervöser Erkrankung im zarten Kindesalter einen direkten Einblick in die infantile Psychosexualität zu gewinnen. Ich kann mit
Befriedigung darauf verweisen, daß die direkte Beobachtung die Schlüsse aus
der Psychoanalyse voll bekräftigt und somit ein gutes Zeugnis für die Verläß-
lichkeit dieser letzten Forschungsmethode abgegeben hat. Die »Analyse der
Phobie eines fünfjährigen Knaben« (Bd. VII der Ges. Werke) hat überdies
manches Neue gelehrt, worauf man von der Psychoanalyse her nicht vorbereitet war, z. B. das Hinaufreichen einer sexuellen Symbolik, einer Darstellung
des Sexuellen durch nicht sexuelle Objekte und Relationen bis in diese ersten
Jahre der Sprachbeherrschung. Ferner wurde ich auf einen Mangel der obenstehenden Darstellung aufmerksam gemacht, welche im Interesse der Über-
sichtlichkeit die begriffliche Scheidung der beiden Phasen von *Autoerotismus*
und *Objektliebe* auch als eine zeitliche Trennung beschreibt. Man erfährt aber
aus den zitierten Analysen (sowie aus den Mitteilungen von Bell, s. o.), daß
Kinder im Alter von drei bis fünf Jahren einer sehr deutlichen, von starken
Affekten begleiteten *Objektwahl* fähig sind.

trieb zuschreibt. Der Wißtrieb kann weder zu den elementaren Triebkomponenten gerechnet noch ausschließlich der Sexualität untergeordnet werden. Sein Tun entspricht einerseits einer sublimierten Weise der Bemächtigung, anderseits arbeitet er mit der Energie der Schaulust. Seine Beziehungen zum Sexualleben sind aber besonders bedeutsame, denn wir haben aus der Psychoanalyse erfahren, daß der Wißtrieb der Kinder unvermutet früh und in unerwartet intensiver Weise von den sexuellen Problemen angezogen, ja vielleicht erst durch sie geweckt wird.

Das Rätsel der Sphinx Nicht theoretische, sondern praktische Interessen sind es, die das Werk der Forschertätigkeit beim Kinde in Gang bringen. Die Bedrohung seiner Existenzbedingungen durch die erfahrene oder vermutete Ankunft eines neuen Kindes, die Furcht vor dem mit diesem Ereignis verbundenen Verlust an Fürsorge und Liebe machen das Kind nachdenklich und scharfsinnig. Das erste Problem, mit dem es sich beschäftigt, ist entsprechend dieser Erweckungsgeschichte auch nicht die Frage des Geschlechtsunterschiedes, sondern das Rätsel: Woher kommen die Kinder? In einer Entstellung, die man leicht rückgängig machen kann, ist dies auch das Rätsel, welches die thebaische Sphinx aufzugeben hat. Die Tatsache der beiden Geschlechter nimmt das Kind vielmehr zunächst ohne Sträuben und Bedenken hin. Es ist dem männlichen Kinde selbstverständlich, ein Genitale wie das seinige bei allen Personen, die es kennt, vorauszusetzen, und unmöglich, den Mangel eines solchen mit seiner Vorstellung dieser anderen zu vereinen. Diese Überzeugung wird vom Knaben energisch festgehalten, gegen die sich bald ergebenden Widersprüche der Beobachtung hartnäckig verteidigt und erst nach **Kastrationskomplex und Penisneid** schweren inneren Kämpfen (Kastrationskomplex) aufgegeben. Die Ersatzbildungen dieses verlorengegangenen Penis des Weibes spielen in der Gestaltung mannigfacher Perversionen eine große Rolle.[1]

---

1 Man hat das Recht, auch von einem Kastrationskomplex bei Frauen zu sprechen. Männliche wie weibliche Kinder bilden die Theorie, daß auch das Weib ursprünglich einen Penis hatte, der durch Kastration verlorengegangen ist. Die endlich gewonnene Überzeugung, daß das Weib keinen Penis besitzt, hinterläßt beim männlichen Individuum oft eine dauernde Geringschätzung des anderen Geschlechts.

Die Annahme des nämlichen (männlichen) Genitales bei allen Menschen ist die erste der merkwürdigen und folgenschweren infantilen Sexualtheorien. Es nützt dem Kinde wenig, wenn die biologische Wissenschaft seinem Vorurteile recht geben und die weibliche Klitoris als einen richtigen Penisersatz anerkennen muß. Das kleine Mädchen verfällt nicht in ähnliche Abweisungen, wenn es das anders gestaltete Genitale des Knaben erblickt. Es ist sofort bereit, es anzuerkennen, und es unterliegt dem Penisneide, der in dem für die Folge wichtigen Wunsch, auch ein Bub zu sein, gipfelt.

Viele Menschen wissen deutlich zu erinnern, wie intensiv sie sich in der Vorpubertätszeit für die Frage interessiert haben, woher die Kinder kommen. Die anatomischen Lösungen lauteten damals ganz verschiedenartig; sie kommen aus der Brust oder werden aus dem Leib geschnitten, oder der Nabel öffnet sich, um sie durchzulassen.[1] An die entsprechende Forschung der frühen Kinderjahre erinnert man sich nur selten außerhalb der Analyse; sie ist längst der Verdrängung verfallen, aber ihre Ergebnisse waren durchaus einheitliche. Man bekommt die Kinder, indem man etwas Bestimmtes ißt (wie im Märchen), und sie werden durch den Darm wie ein Stuhlabgang geboren. Diese kindlichen Theorien mahnen an Einrichtungen im Tierreiche, speziell an die Kloake der Typen, die niedriger stehen als die Saugetiere.

Geburts-
theorien

Werden Kinder in so zartem Alter Zuschauer des sexuellen Verkehres zwischen Erwachsenen, wozu die Überzeugung der Großen, das kleine Kind könne noch nichts Sexuelles verstehen, die Anlässe schafft, so können sie nicht umhin, den Sexualakt als eine Art von Mißhandlung oder Überwältigung, also im sadistischen Sinne aufzufassen. Die Psychoanalyse läßt uns auch erfahren, daß ein solcher frühkindlicher Eindruck viel zur Disposition für eine spätere sadistische Verschiebung des Sexualzieles beiträgt. Des weiteren beschäftigen sich Kinder viel mit dem Problem, worin der Geschlechtsverkehr oder, wie sie es erfassen, das Verheiratetsein bestehen mag, und suchen die Lösung des Geheimnisses meist in

Sadisti-
sche Auf-
fassung
des
Sexual-
verkehrs

---

1 Der Reichtum an Sexualtheorien ist in diesen späteren Kinderjahren ein sehr großer. Im Text sind hievon nur wenige Beispiele angeführt.

einer Gemeinschaft, die durch die Harn- oder Kotfunktion vermittelt wird.

Das typische Mißlingen der kindlichen Sexualforschung Im allgemeinen kann man von den kindlichen Sexualtheorien aussagen, daß sie Abbilder der eigenen sexuellen Konstitution des Kindes sind und trotz ihrer grotesken Irrtümer von mehr Verständnis für die Sexualvorgänge zeugen, als man ihren Schöpfern zugemutet hätte. Die Kinder nehmen auch die Schwangerschaftsveränderungen der Mutter wahr und wissen sie richtig zu deuten; die Storchfabel wird sehr oft vor Hörern erzählt, die ihr ein tiefes, aber meist stummes Mißtrauen entgegenbringen. Aber da der kindlichen Sexualforschung zwei Elemente unbekannt bleiben, die Rolle des befruchtenden Samens und die Existenz der weiblichen Geschlechtsöffnung – die nämlichen Punkte übrigens, in denen die infantile Organisation noch rückständig ist –, bleibt das Bemühen der infantilen Forscher doch regelmäßig unfruchtbar und endet in einem Verzicht, der nicht selten eine dauernde Schädigung des Wißtriebes zurückläßt. Die Sexualforschung dieser frühen Kinderjahre wird immer einsam betrieben; sie bedeutet einen ersten Schritt zur selbständigen Orientierung in der Welt und setzt eine starke Entfremdung des Kindes von den Personen seiner Umgebung, die vorher sein volles Vertrauen genossen hatten.

Entwicklungsphasen der sexuellen Organisation

Wir haben bisher als Charaktere des infantilen Sexuallebens hervorgehoben, daß es wesentlich autoerotisch ist (sein Objekt am eigenen Leibe findet) und daß seine einzelnen Partialtriebe im ganzen unverknüpft und unabhängig voneinander dem Lusterwerb nachstreben. Den Ausgang der Entwicklung bildet das sogenannte normale Sexualleben des Erwachsenen, in welchem der Lusterwerb in den Dienst der Fortpflanzungsfunktion getreten ist und die Partialtriebe unter dem Primat einer einzigen erogenen Zone eine feste Organisation zur Erreichung des Sexualzieles an einem fremden Sexualobjekt gebildet haben.

Das Studium der Hemmungen und Störungen in diesem Entwick- **Prägeni-**
lungsgange mit Hilfe der Psychoanalyse gestattet uns nun Ansätze **tale Orga-**
und Vorstufen einer solchen Organisation der Partialtriebe zu er- **nisationen**
kennen, die gleichfalls eine Art von sexuellem Regime ergeben.
Diese Phasen der Sexualorganisation werden normalerweise glatt
durchlaufen, ohne sich durch mehr als Andeutungen zu verraten.
Nur in pathologischen Fällen werden sie aktiviert und für grobe
Beobachtung kenntlich.

Organisationen des Sexuallebens, in denen die Genitalzonen noch
nicht in ihre vorherrschende Rolle eingetreten sind, wollen wir *prägenitale* heißen. Wir haben bisher zwei derselben kennengelernt,
die wie Rückfälle auf frühtierische Zustände anmuten.

Eine erste solche prägenitale Sexualorganisation ist die *orale* oder,
wenn wir wollen, *kannibalische*. Die Sexualtätigkeit ist hier von der
Nahrungsaufnahme noch nicht gesondert, Gegensätze innerhalb
derselben nicht differenziert. Das Objekt der einen Tätigkeit ist
auch das der anderen, das Sexualziel besteht in der *Einverleibung*
des Objektes, dem Vorbild dessen, was späterhin als *Identifizierung*
eine so bedeutsame psychische Rolle spielen wird. Als Rest dieser
fiktiven, uns durch die Pathologie aufgenötigten Organisations-
phase kann das Lutschen angesehen werden, in dem die Sexualtätigkeit, von der Ernährungstätigkeit abgelöst, das fremde Objekt gegen eines am eigenen Körper aufgegeben hat.[1]

Eine zweite prägenitale Phase ist die der *sadistisch-analen* Organisation. Hier ist die Gegensätzlichkeit, welche das Sexualleben
durchzieht, bereits ausgebildet; sie kann aber noch nicht *männlich*
und *weiblich*, sondern muß *aktiv* und *passiv* benannt werden. Die
Aktivität wird durch den Bemächtigungstrieb von seiten der Kör-
permuskulatur hergestellt, als Organ mit passivem Sexualziel

---

1 Vgl. über Reste dieser Phase bei erwachsenen Neurotikern die Arbeit von
Abraham, Untersuchungen über die früheste prägenitale Entwicklungsstufe
der Libido (Intern. Zeitschr. f. Psychoanalyse IV, 1916). In einer späteren
Arbeit (Versuch einer Entwicklungsgeschichte der Libido 1924) hat Abraham
sowohl diese orale als auch die spätere sadistisch-anale Phase in zwei Unter-
abteilungen zerlegt, für welche das verschiedene Verhalten zum Objekt charakteristisch ist.

macht sich vor allem die erogene Darmschleimhaut geltend; für beide Strebungen sind Objekte vorhanden, die aber nicht zusammenfallen. Daneben betätigen sich andere Partialtriebe in autoerotischer Weise. In dieser Phase sind also die sexuelle Polarität und das fremde Objekt bereits nachweisbar. Die Organisation und die Unterordnung unter die Fortpflanzungsfunktion stehen noch aus.[1]

Ambi-
valenz
Diese Form der Sexualorganisation kann sich bereits durchs Leben erhalten und ein großes Stück der Sexualbetätigung dauernd an sich reißen. Die Vorherrschaft des Sadismus und die Kloakenrolle der analen Zone geben ihr ein exquisit archaisches Gepräge. Als weiterer Charakter gehört ihr an, daß die Triebgegensatzpaare in annähernd gleicher Weise ausgebildet sind, welches Verhalten mit dem glücklichen, von Bleuler eingeführten Namen *Ambivalenz* bezeichnet wird.

Die Annahme der prägenitalen Organisationen des Sexuallebens ruht auf der Analyse der Neurosen und ist unabhängig von deren Kenntnis kaum zu würdigen. Wir dürfen erwarten, daß die fortgesetzte analytische Bemühung uns noch weit mehr Aufschlüsse über Aufbau und Entwicklung der normalen Sexualfunktion vorbereitet.

Um das Bild des infantilen Sexuallebens zu vervollständigen, muß man hinzunehmen, daß häufig oder regelmäßig bereits in den Kinderjahren eine Objektwahl vollzogen wird, wie wir sie als charakteristisch für die Entwicklungsphase der Pubertät hingestellt haben, in der Weise, daß sämtliche Sexualbestrebungen die Richtung auf eine einzige Person nehmen, an der sie ihre Ziele erreichen wollen. Dies ist dann die größte Annäherung an die definitive Gestaltung des Sexuallebens nach der Pubertät, die in den Kinderjahren möglich ist. Der Unterschied von letzterer liegt nur noch darin, daß die Zusammenfassung der Partialtriebe und deren Unterordnung unter das Primat der Genitalien in der Kindheit nicht oder nur sehr unvollkommen durchgesetzt wird. Die Herstellung dieses Primats im

---

1 Abraham macht (im letzterwähnten Aufsatze) darauf aufmerksam, daß der After aus dem *Urmund* der embryonalen Anlagen hervorgeht, was wie ein biologisches Vorbild der psychosexuellen Entwicklung erscheint.

Dienste der Fortpflanzung ist also die letzte Phase, welche die Sexualorganisation durchläuft.[1]

Man kann es als ein typisches Vorkommnis ansprechen, daß die Objektwahl zweizeitig, in zwei Schüben erfolgt. Der erste Schub nimmt in den Jahren zwischen zwei und fünf seinen Anfang und wird durch die Latenzzeit zum Stillstand oder zur Rückbildung gebracht; er ist durch die infantile Natur seiner Sexualziele ausgezeichnet. Der zweite setzt mit der Pubertät ein und bestimmt die definitive Gestaltung des Sexuallebens.

Zweizeitige Objektwahl

Die Tatsache der zweizeitigen Objektwahl, die sich im wesentlichen auf die Wirkung der Latenzzeit reduziert, wird aber höchst bedeutungsvoll für die Störung dieses Endzustandes. Die Ergebnisse der infantilen Objektwahl ragen in die spätere Zeit hinein; sie sind entweder als solche erhalten geblieben, oder sie erfahren zur Zeit der Pubertät selbst eine Auffrischung. Infolge der Verdrängungsentwicklung, welche zwischen beiden Phasen liegt, erweisen sie sich aber als unverwendbar. Ihre Sexualziele haben eine Milderung erfahren, und sie stellen nun das dar, was wir als die *zärtliche* Strömung des Sexuallebens bezeichnen können. Erst die psychoanalytische Untersuchung kann nachweisen, daß sich hinter dieser Zärtlichkeit, Verehrung und Hochachtung die alten, jetzt unbrauchbar gewordenen Sexualstrebungen der infantilen Partialtriebe verbergen. Die Objektwahl der Pubertätszeit muß auf die infantilen Objekte verzichten und als *sinnliche* Strömung von neuem beginnen. Das Nichtzusammentreffen der beiden Strömungen hat oft

---

1 Diese Darstellung habe ich später (1923) selbst dahin verändert, daß ich nach den beiden prägenitalen Organisationen in die Kindheitsentwicklung eine dritte Phase einschaltete, welche bereits den Namen einer genitalen verdient, ein Sexualobjekt und ein Maß von Konvergenz der Sexualstrebungen auf dies Objekt zeigt, sich aber in einem wesentlichen Punkt von der definitiven Organisation der Geschlechtsreife unterscheidet. Sie kennt nämlich nur eine Art von Genitale, das männliche. Ich habe sie darum die *phallische* Organisationsstufe genannt (Die infantile Genitalorganisation. Intern. Zeitschr. f. Psychoanalyse, IX, 1923; Ges. Werke, Bd. XIII). Ihr biologisches Vorbild ist nach Abraham die indifferente für beide Geschlechter gleichartige Genitalanlage des Embryos.

genug die Folge, daß eines der Ideale des Sexuallebens, die Vereinigung aller Begehrungen in einem Objekt, nicht erreicht werden kann.

Quellen der infantilen Sexualität

In dem Bemühen, die Ursprünge des Sexualtriebes zu verfolgen, haben wir bisher gefunden, daß die sexuelle Erregung entsteht *a*) als Nachbildung einer im Anschluß an andere organische Vorgänge erlebten Befriedigung, *b*) durch geeignete peripherische Reizung erogener Zonen, *c*) als Ausdruck einiger uns in ihrer Herkunft noch nicht voll verständlicher »Triebe« wie der Schautrieb und der Trieb zur Grausamkeit. Die aus späterer Zeit auf die Kindheit zurückgreifende psychoanalytische Forschung und die gleichzeitige Beobachtung des Kindes wirken nun zusammen, um uns noch andere regelmäßig fließende Quellen für die sexuelle Erregung aufzuzeigen. Die Kindheitsbeobachtung hat den Nachteil, daß sie leicht mißzuverstehende Objekte bearbeitet, die Psychoanalyse wird dadurch erschwert, daß sie zu ihren Objekten wie zu ihren Schlüssen nur auf großen Umwegen gelangen kann; in ihrem Zusammenwirken erzielen aber beide Methoden einen genügenden Grad von Sicherheit der Erkenntnis.

Bei der Untersuchung der erogenen Zonen haben wir bereits gefunden, daß diese Hautstellen bloß eine besondere Steigerung einer Art von Reizbarkeit zeigen, welche in gewissem Grade der ganzen Hautoberfläche zukommt. Wir werden also nicht erstaunt sein zu erfahren, daß gewissen Arten allgemeiner Hautreizung sehr deutliche erogene Wirkungen zuzuschreiben sind. Unter diesen heben wir vor allem die Temperaturreize hervor; vielleicht wird so auch unser Verständnis für die therapeutische Wirkung warmer Bäder vorbereitet.

Mechanische Erregungen Ferner müssen wir hier die Erzeugung sexueller Erregung durch rhythmische mechanische Erschütterungen des Körpers anreihen, an denen wir dreierlei Reizeinwirkungen zu sondern haben, die auf den Sinnesapparat der Vestibularnerven, die auf die Haut und auf die tiefen Teile (Muskeln, Gelenkapparate). Wegen der dabei entstehenden Lustempfindungen – es ist der Hervorhebung wert, daß wir hier eine ganze Strecke weit »sexuelle Erregung« und »Befriedigung« unterschiedslos gebrauchen dürfen, und legt uns die Pflicht auf, später nach einer Erklärung zu suchen –; es ist also ein Beweis für die durch gewisse mechanische Körpererschütterungen erzeugte Lust, daß Kinder passive Bewegungsspiele, wie Schaukeln und Fliegenlassen, so sehr lieben und unaufhörlich nach Wiederholung davon verlangen.[1] Das Wiegen wird bekanntlich zur Einschläferung unruhiger Kinder regelmäßig angewendet. Die Erschütterungen der Wagenfahrt und später der Eisenbahnfahrt üben eine so faszinierende Wirkung auf ältere Kinder aus, daß wenigstens alle Knaben irgend einmal im Leben Kondukteure und Kutscher werden wollen. Den Vorgängen auf der Eisenbahn pflegen sie ein rätselhaftes Interesse von außerordentlicher Höhe zuzuwenden und dieselben im Alter der Phantasietätigkeit (kurz vor der Pubertät) zum Kern einer exquisit sexuellen Symbolik zu machen. Der Zwang zu solcher Verknüpfung des Eisenbahnfahrens mit der Sexualität geht offenbar von dem Lustcharakter der Bewegungsempfindungen aus. Kommt dann die Verdrängung hinzu, die so vieles von den kindlichen Bevorzugungen ins Gegenteil umschlagen läßt, so werden dieselben Personen als Heranwachsende oder Erwachsene auf Wiegen und Schaukeln mit Übelkeit reagieren, durch eine Eisenbahnfahrt furchtbar erschöpft werden oder zu Angstanfällen auf der Fahrt neigen und sich durch *Eisenbahnangst* vor der Wiederholung der peinlichen Erfahrung schützen.

Hier reiht sich dann – noch unverstanden – die Tatsache an, daß durch Zusammentreffen von Schreck und mechanischer Erschütterung die schwere hysteriforme traumatische Neurose erzeugt wird. Man darf wenigstens annehmen, daß diese Einflüsse, die in geringen Intensitäten zu Quellen sexueller Erregung werden, in übergroßem Maße einwirkend eine tiefe Zerrüttung des sexuellen Mechanismus oder Chemismus hervorrufen.

---

1 Manche Personen wissen sich zu erinnern, daß sie beim Schaukeln den Anprall der bewegten Luft an den Genitalien direkt als sexuelle Lust verspürt haben.

Muskel-
tätigkeit

Daß ausgiebige aktive Muskelbetätigung für das Kind ein Bedürfnis ist, aus dessen Befriedigung es außerordentliche Lust schöpft, ist bekannt. Ob diese Lust etwas mit der Sexualität zu tun hat, ob sie selbst sexuelle Befriedigung einschließt oder Anlaß zu sexueller Erregung werden kann, das mag kritischen Erwägungen unterliegen, die sich ja auch wohl gegen die im vorigen enthaltene Aufstellung richten werden, daß die Lust durch die Empfindungen passiver Bewegung sexueller Art ist oder sexuell erregend wirkt. Tatsache ist aber, daß eine Reihe von Personen berichten, sie hätten die ersten Zeichen der Erregtheit an ihren Genitalien während des Raufens oder Ringens mit ihren Gespielen erlebt, in welcher Situation außer der allgemeinen Muskelanstrengung noch die ausgiebige Hautberührung mit dem Gegner wirksam wird. Die Neigung zum Muskelstreit mit einer bestimmten Person, wie in späteren Jahren zum Wortstreit (»Was sich liebt, das neckt sich«), gehört zu den guten Vorzeichen der auf diese Person gerichteten Objektwahl. In der Beförderung der sexuellen Erregung durch Muskeltätigkeit wäre eine der Wurzeln des sadistischen Triebes zu erkennen. Für viele Individuen wird die infantile Verknüpfung zwischen Raufen und sexueller Erregung mitbestimmend für die später bevorzugte Richtung ihres Geschlechtstriebes.[1]

Affekt-
vorgänge

Minderem Zweifel unterliegen die weiteren Quellen sexueller Erregung beim Kinde. Es ist leicht, durch gleichzeitige Beobachtung wie durch spätere Erforschung festzustellen, daß alle intensiveren Affektvorgänge, selbst die schreckhaften Erregungen auf die Sexualität übergreifen, was übrigens einen Beitrag zum Verständnis der pathogenen Wirkung solcher Gemütsbewegungen liefern kann. Beim Schulkinde kann die Angst, geprüft zu werden, die Spannung einer sich schwer lösenden Aufgabe für den Durchbruch sexueller Äußerungen wie für das Verhältnis zur Schule bedeutsam werden, indem

---

1 Die Analyse der Fälle von neurotischer Gehstörung und Raumangst hebt den Zweifel an der sexuellen Natur der Bewegungslust auf. Die moderne Kulturerziehung bedient sich bekanntlich des Sports im großen Umfang, um die Jugend von der Sexualbetätigung abzulenken; richtiger wäre es zu sagen, sie ersetzt ihr den Sexualgenuß durch die Bewegungslust und drängt die Sexualbetätigung auf eine ihrer autoerotischen Komponenten zurück.

unter solchen Umständen häufig genug ein Reizgefühl auftritt, welches zur Berührung der Genitalien auffordert, oder ein pollutionsartiger Vorgang mit all seinen verwirrenden Folgen. Das Benehmen der Kinder in der Schule, welches den Lehrern Rätsel genug aufgibt, verdient überhaupt in Beziehung zur keimenden Sexualität derselben gesetzt zu werden. Die sexuell erregende Wirkung mancher an sich unlustigen Affekte, des Ängstigens, Schauderns, Grausens, erhält sich bei einer großen Anzahl Menschen auch durchs reife Leben und ist wohl die Erklärung dafür, daß soviel Personen der Gelegenheit zu solchen Sensationen nachjagen, wenn nur gewisse Nebenumstände (die Angehörigkeit zu einer Scheinwelt, Lektüre, Theater) den Ernst der Unlustempfindung dämpfen.

Ließe sich annehmen, daß auch intensiven schmerzhaften Empfindungen die gleiche erogene Wirkung zukommt, zumal wenn der Schmerz durch eine Nebenbedingung abgetönt oder fernergehalten wird, so läge in diesem Verhältnis eine der Hauptwurzeln für den masochistisch-sadistischen Trieb, in dessen vielfältige Zusammengesetztheit wir so allmählich Einblick gewinnen.[1]

Endlich ist es unverkennbar, daß die Konzentration der Aufmerksamkeit auf eine intellektuelle Leistung und geistige Anspannung überhaupt bei vielen jugendlichen wie reiferen Personen eine sexuelle Miterregung zur Folge hat, die wohl als die einzig berechtigte Grundlage für die sonst so zweifelhafte Ableitung nervöser Störungen von geistiger »Überarbeitung« zu gelten hat.

(Randnotiz: Intellektuelle Arbeit)

Überblicken wir nun nach diesen weder vollständig noch vollzählig mitgeteilten Proben und Andeutungen die Quellen der kindlichen Sexualerregung, so lassen sich folgende Allgemeinheiten ahnen oder erkennen: Es scheint auf die ausgiebigste Weise dafür gesorgt, daß der Prozeß der Sexualerregung – dessen Wesen uns nun freilich recht rätselhaft geworden ist – in Gang gebracht werde. Es sorgen dafür vor allem in mehr oder minder direkter Weise die Erregungen der sensiblen Oberflächen – Haut und Sinnesorgane –, am unmittelbarsten die Reizeinwirkungen auf gewisse als erogene Zonen zu bezeichnende Stellen. Bei diesen Quellen der Sexualerregung ist wohl

---

1 (Der sogenannte »erogene« Masochismus.)

die Qualität der Reize das Maßgebende, wenngleich das Moment der Intensität (beim Schmerz) nicht völlig gleichgültig ist. Aber überdies sind Veranstaltungen im Organismus vorhanden, welche zur Folge haben, daß die Sexualerregung als Nebenwirkung bei einer großen Reihe innerer Vorgänge entsteht, sobald die Intensität dieser Vorgänge nur gewisse quantitative Grenzen überstiegen hat. Was wir die Partialtriebe der Sexualität genannt haben, leitet sich entweder direkt aus diesen inneren Quellen der Sexualerregung ab oder setzt sich aus Beiträgen von solchen Quellen und von erogenen Zonen zusammen. Es ist möglich, daß nichts Bedeutsameres im Organismus vorfällt, was nicht seine Komponente zur Erregung des Sexualtriebes abzugeben hätte.

Es scheint mir derzeit nicht möglich, diese allgemeinen Sätze zu größerer Klarheit und Sicherheit zu bringen, und ich mache dafür zwei Momente verantwortlich, erstens die Neuheit der ganzen Betrachtungsweise und zweitens den Umstand, daß uns das Wesen der Sexualerregung völlig unbekannt ist. Doch möchte ich auf zwei Bemerkungen nicht verzichten, welche Ausblicke ins Weite zu eröffnen versprechen:

Verschiedene Sexualkonstitutionen *a)* So wie wir vorhin einmal die Möglichkeit sahen, eine Mannigfaltigkeit der angeborenen sexuellen Konstitutionen durch die verschiedenartige Ausbildung der erogenen Zonen zu begründen, so können wir nun das gleiche mit Einbeziehung der indirekten Quellen der Sexualerregung versuchen. Wir dürfen annehmen, daß diese Quellen zwar bei allen Individuen Zuflüsse liefern, aber nicht alle bei allen Personen gleich starke, und daß in der bevorzugten Ausbildung der einzelnen Quellen zur Sexualerregung ein weiterer Beitrag zur Differenzierung der verschiedenen Sexualkonstitutionen gelegen sein wird.[1]

---

1 Als unabweisbare Folgerung aus den obigen Ausführungen ergibt sich, daß jedem Individuum eine Oral-, Anal-, Harnerotik usw. zugesprochen werden muß und daß die Konstatierung der diesen entsprechenden seelischen Komplexe kein Urteil auf Abnormität oder Neurose bedeutet. Die Unterschiede, die das Normale vom Abnormen trennen, können nur in der relativen Stärke der einzelnen Komponenten des Sexualtriebes und in der Verwendung liegen, die sie im Laufe der Entwicklung erfahren.

b) Indem wir die so lange festgehaltene figürliche Ausdrucksweise fallenlassen, in der wir von »Quellen« der Sexualerregung sprachen, können wir auf die Vermutung gelangen, daß alle die Verbindungswege, die von anderen Funktionen her zur Sexualität führen, auch in umgekehrter Richtung gangbar sein müssen. Ist wie zum Beispiel der beiden Funktionen gemeinsame Besitz der Lippenzone der Grund dafür, daß bei der Nahrungsaufnahme Sexualbefriedigung entsteht, so vermittelt uns dasselbe Moment auch das Verständnis der Störungen in der Nahrungsaufnahme, wenn die erogenen Funktionen der gemeinsamen Zone gestört sind. Wissen wir einmal, daß Konzentration der Aufmerksamkeit Sexualerregung hervorzurufen vermag, so wird uns die Annahme nahegelegt, daß durch Einwirkung auf demselben Wege, nur in umgekehrter Richtung, der Zustand der Sexualerregung die Verfügbarkeit über die lenkbare Aufmerksamkeit beeinflußt. Ein gutes Stück der Symptomatologie der Neurosen, die ich von Störungen der Sexualvorgänge ableite, äußert sich in Störungen der anderen nicht sexuellen Körperfunktionen, und diese bisher unverständliche Einwirkung wird minder rätselhaft, wenn sie nur das Gegenstück zu den Beeinflussungen darstellt, unter denen die Produktion der Sexualerregung steht.

Die nämlichen Wege aber, auf denen Sexualstörungen auf die übrigen Körperfunktionen übergreifen, müßten auch in der Gesundheit einer anderen wichtigen Leistung dienen. Auf ihnen müßte sich die Heranziehung der sexuellen Triebkräfte zu anderen als sexuellen Zielen, also die Sublimierung der Sexualität vollziehen. Wir müssen mit dem Eingeständnis schließen, daß über diese gewiß vorhandenen, wahrscheinlich nach beiden Richtungen gangbaren Wege noch sehr wenig Sicheres bekannt ist.

Wege wechselseitiger Beeinflussung

III
DIE UMGESTALTUNGEN DER PUBERTÄT

Mit dem Eintritt der Pubertät setzen die Wandlungen ein, welche das infantile Sexualleben in seine endgültige normale Gestaltung überführen sollen. Der Sexualtrieb war bisher vorwiegend autoerotisch, er findet nun das Sexualobjekt. Er betätigte sich bisher von einzelnen Trieben und erogenen Zonen aus, die unabhängig voneinander eine gewisse Lust als einziges Sexualziel suchten. Nun wird ein neues Sexualziel gegeben, zu dessen Erreichung alle Partialtriebe zusammenwirken, während die erogenen Zonen sich dem Primat der Genitalzone unterordnen.[1] Da das neue Sexualziel den beiden Geschlechtern sehr verschiedene Funktionen anweist, geht deren Sexualentwicklung nun weit auseinander. Die des Mannes ist die konsequentere, auch unserem Verständnis leichter zugängliche, während beim Weibe sogar eine Art Rückbildung auftritt. Die Normalität des Geschlechtslebens wird nur durch das exakte Zusammentreffen der beiden auf Sexualobjekt und Sexualziel gerichteten Strömungen, der zärtlichen und der sinnlichen, gewährleistet, von denen die erstere in sich faßt, was von der infantilen Frühblüte der Sexualität erübrigt. Es ist wie der Durchschlag eines Tunnels von beiden Seiten her.

Das neue Sexualziel besteht beim Manne in der Entladung der Geschlechtsprodukte; es ist dem früheren, der Erreichung von Lust keineswegs fremd, vielmehr ist der höchste Betrag von Lust an diesen Endakt des Sexualvorganges geknüpft. Der Sexualtrieb stellt sich jetzt in den Dienst der Fortpflanzungsfunktion; er wird sozusagen altruistisch. Soll diese Umwandlung gelingen, so muß beim Vorgang derselben mit den ursprünglichen Anlagen und allen Eigentümlichkeiten der Triebe gerechnet werden.

---

1 Die im Text gegebene schematische Darstellung will die Differenzen hervorheben. Inwieweit sich die infantile Sexualität durch ihre Objektwahl und die Ausbildung der phallischen Phase der definitiven Sexualorganisation annähert, ist vorhin S. 100 f. [mit Anm.] ausgeführt worden.

Wie bei jeder anderen Gelegenheit, wo im Organismus neue Ver-
knüpfungen und Zusammensetzungen zu komplizierten Mechanismen stattfinden sollen, ist auch hier die Gelegenheit zu krankhaften
Störungen durch Unterbleiben dieser Neuordnungen gegeben. Alle
krankhaften Störungen des Geschlechtslebens sind mit gutem
Rechte als Entwicklungshemmungen zu betrachten.

Das Primat der Genitalzonen und die Vorlust

Von dem beschriebenen Entwicklungsgang liegen Ausgang und
Endziel klar vor unseren Augen. Die vermittelnden Übergänge sind
uns noch vielfach dunkel; wir werden an ihnen mehr als ein Rätsel
bestehen lassen müssen.

Man hat das Auffälligste an den Pubertätsvorgängen zum Wesentlichen derselben gewählt, das manifeste Wachstum der äußeren Genitalien, an denen sich die Latenzperiode der Kindheit durch relative
Wachstumshemmung geäußert hatte. Gleichzeitig ist die Entwicklung der inneren Genitalien so weit vorgeschritten, daß sie Geschlechtsprodukte zu liefern, respektive zur Gestaltung eines neuen
Lebewesens aufzunehmen vermögen. Ein höchst komplizierter Apparat ist so fertig geworden, der seiner Inanspruchnahme harrt.

Dieser Apparat soll durch Reize in Gang gebracht werden, und nun
läßt uns die Beobachtung erkennen, daß Reize ihn auf dreierlei Wegen angreifen können, von der Außenwelt her durch Erregung der
uns schon bekannten erogenen Zonen, von dem organischen Innern
her auf noch zu erforschenden Wegen und von dem Seelenleben aus,
welches selbst eine Aufbewahrungsstätte äußerer Eindrücke und
eine Aufnahmsstelle innerer Erregungen darstellt. Auf allen drei
Wegen wird das nämliche hervorgerufen, ein Zustand, der als »sexuelle Erregtheit« bezeichnet wird und sich durch zweierlei Zeichen
kundgibt, seelische und somatische. Das seelische Anzeichen besteht in einem eigentümlichen Spannungsgefühl von höchst drän-
gendem Charakter; unter den mannigfaltigen körperlichen steht an
erster Stelle eine Reihe von Veränderungen an den Genitalien, die
einen unzweifelhaften Sinn haben, den der Bereitschaft, der Vorbe-

reitung zum Sexualakt. (Die Erektion des männlichen Gliedes, das Feuchtwerden der Scheide.)

Die
Sexual-
spannung

An den Spannungscharakter der sexuellen Erregtheit knüpft ein Problem an, dessen Lösung ebenso schwierig wie für die Auffassung der Sexualvorgänge bedeutsam wäre. Trotz aller in der Psychologie darüber herrschenden Meinungsverschiedenheiten muß ich daran festhalten, daß ein Spannungsgefühl den Unlustcharakter an sich tragen muß. Für mich ist entscheidend, daß ein solches Gefühl den Drang nach Veränderung der psychischen Situation mit sich bringt, treibend wirkt, was dem Wesen der empfundenen Lust völlig fremd ist. Rechnet man aber die Spannung der sexuellen Erregtheit zu den Unlustgefühlen, so stößt man sich an der Tatsache, daß dieselbe unzweifelhaft lustvoll empfunden wird. Überall ist bei der durch die Sexualvorgänge erzeugten Spannung Lust dabei; selbst bei den Vorbereitungsveränderungen der Genitalien ist eine Art von Befriedigungsgefühl deutlich. Wie hängen nun diese Unlustspannung und dieses Lustgefühl zusammen?

Alles, was mit dem Lust- und Unlustproblem zusammenhängt, rührt an eine der wundesten Stellen der heutigen Psychologie. Wir wollen versuchen, möglichst aus den Bedingungen des uns vorliegenden Falles zu lernen, und es vermeiden, dem Problem in seiner Gänze näherzutreten.[1] Werfen wir zunächst einen Blick auf die Art, wie die erogenen Zonen sich der neuen Ordnung einfügen. Ihnen fällt eine wichtige Rolle bei der Einleitung der sexuellen Erregung zu. Die dem Sexualobjekt vielleicht entlegenste, das Auge, kommt unter den Verhältnissen der Objektwerbung am häufigsten in die Lage, durch jene besondere Qualität der Erregung, deren Anlaß wir am Sexualobjekt als Schönheit bezeichnen, gereizt zu werden. Die Vorzüge des Sexualobjektes werden darum auch »Reize« geheißen. Mit dieser Reizung ist einerseits bereits Lust verbunden, andererseits ist eine Steigerung der sexuellen Erregtheit oder ein Hervorrufen derselben, wo sie noch fehlt, ihre Folge. Kommt die Erregung einer anderen erogenen Zone, zum Beispiel der tastenden

---

1 Vgl. einen Versuch zur Lösung dieses Problems in den einleitenden Bemerkungen meines Aufsatzes »Das ökonomische Problem des Masochismus« 1924. (Intern. Zeitschr. f. PsA., X; Ges. Werke, Bd. XIII.)

Hand, hinzu, so ist der Effekt der gleiche, Lustempfindung einerseits, die sich bald durch die Lust aus den Bereitschaftsveränderungen verstärkt, weitere Steigerung der Sexualspannung andererseits, die bald in deutlichste Unlust übergeht, wenn ihr nicht gestattet wird, weitere Lust herbeizuführen. Durchsichtiger ist vielleicht noch ein anderer Fall, wenn zum Beispiel bei einer sexuell nicht erregten Person eine erogene Zone, etwa die Brusthaut eines Weibes, durch Berührung gereizt wird. Diese Berührung ruft bereits ein Lustgefühl hervor, ist aber gleichzeitig wie nichts anderes geeignet, die sexuelle Erregung zu wecken, die nach einem Mehr von Lust verlangt. Wie es zugeht, daß die empfundene Lust das Bedürfnis nach größerer Lust hervorruft, das ist eben das Problem.

Die Rolle aber, die dabei den erogenen Zonen zufällt, ist klar. Was für eine galt, gilt für alle. Sie werden sämtlich dazu verwendet, durch ihre geeignete Reizung einen gewissen Betrag von Lust zu liefern, von dem die Steigerung der Spannung ausgeht, welche ihrerseits die nötige motorische Energie aufzubringen hat, um den Sexualakt zu Ende zu führen. Das vorletzte Stück desselben ist wiederum die geeignete Reizung einer erogenen Zone, der Genitalzone selbst an der Glans Penis, durch das dazu geeignetste Objekt, die Schleimhaut der Scheide, und unter der Lust, welche diese Erregung gewährt, wird diesmal auf reflektorischem Wege die motorische Energie gewonnen, welche die Herausbeförderung der Geschlechtsstoffe besorgt. Diese letzte Lust ist ihrer Intensität nach die höchste, in ihrem Mechanismus von der früheren verschieden. Sie wird ganz durch Entlastung hervorgerufen, ist ganz Befriedigungslust, und mit ihr erlischt zeitweilig die Spannung der Libido.

Es scheint mir nicht unberechtigt, diesen Unterschied in dem Wesen der Lust durch Erregung erogener Zonen und der anderen bei Entleerung der Sexualstoffe durch eine Namengebung zu fixieren. Die erstere kann passend als *Vorlust* bezeichnet werden im Gegensatz zur *Endlust* oder Befriedigungslust der Sexualtätigkeit. Die Vorlust ist dann dasselbe, was bereits der infantile Sexualtrieb, wenngleich in verjüngtem Maße, ergeben konnte; die Endlust ist neu, also wahrscheinlich an Bedingungen geknüpft, die erst mit der Pubertät

Vorlust-mechanis-mus

111

eingetreten sind. Die Formel für die neue Funktion der erogenen Zonen lautete nun: Sie werden dazu verwendet, um mittels der von ihnen wie im infantilen Leben zu gewinnenden Vorlust die Herbeiführung der größeren Befriedigungslust zu ermöglichen.

Ich habe vor kurzem ein anderes Beispiel, aus einem ganz verschiedenen Gebiet des seelischen Geschehens, erläutern können, in welchem gleichfalls ein größerer Lusteffekt vermöge einer geringfügigeren Lustempfindung, die dabei wie eine Verlockungsprämie wirkt, erzielt wird. Dort ergab sich auch die Gelegenheit, auf das Wesen der Lust näher einzugehen.[1]

Gefahren der Vorlust Der Zusammenhang der Vorlust aber mit dem infantilen Sexualleben wird durch die pathogene Rolle, die ihr zufallen kann, bekräftigt. Aus dem Mechanismus, in dem die Vorlust aufgenommen ist, ergibt sich für die Erreichung des normalen Sexualzieles offenbar eine Gefahr, die dann eintritt, wenn an irgendeiner Stelle der vorbereitenden Sexualvorgänge die Vorlust zu groß, ihr Spannungsanteil zu gering ausfallen sollte. Dann entfällt die Triebkraft, um den Sexualvorgang weiter fortzusetzen, der ganze Weg verkürzt sich, die betreffende vorbereitende Aktion tritt an Stelle des normalen Sexualziels. Dieser schädliche Fall hat erfahrungsgemäß zur Bedingung, daß die betreffende erogene Zone oder der entsprechende Partialtrieb schon im infantilen Leben in ungewöhnlichem Maße zur Lustgewinnung beigetragen hatte. Kommen noch Momente hinzu, welche auf die Fixierung hinwirken, so entsteht leicht fürs spätere Leben ein Zwang, welcher sich der Einordnung dieser einen Vorlust in einen neuen Zusammenhang widersetzt. Solcherart ist in der Tat der Mechanismus vieler Perversionen, die ein Verweilen bei vorbereitenden Akten des Sexualvorganges darstellen.

Das Fehlschlagen der Funktion des Sexualmechanismus durch die Schuld der Vorlust wird am ehesten vermieden, wenn das Primat der Genitalzonen gleichfalls bereits im infantilen Leben vorgezeichnet ist. Dazu scheinen die Anstalten wirklich in der zweiten Hälfte der

---

1 Siehe meine 1905 erschienene Studie *Der Witz und seine Beziehung zum Unbewußten* (Band VI der Ges. Werke). Die durch die Witztechnik gewonnene »Vorlust« wird dazu verwendet, eine größere Lust durch die Aufhebung innerer Hemmungen frei zu machen.

Kinderzeit (von acht Jahren bis zur Pubertät) getroffen zu sein. Die Genitalzonen benehmen sich in diesen Jahren bereits in ähnlicher Weise wie zur Zeit der Reife, sie werden der Sitz von Erregungssensationen und Bereitschaftsverändcrungen, wenn irgendwelche Lust durch Befriedigung anderer erogener Zonen empfunden wird, obwohl dieser Effekt noch zwecklos bleibt, das heißt nichts dazu beiträgt, den Sexualvorgang fortzusetzen. Es entsteht also bereits in den Kinderjahren neben der Befriedigungslust ein gewisser Betrag von Sexualspannung, obwohl minder konstant und weniger ausgiebig, und nun können wir verstehen, warum wir bei der Erörterung der Quellen der Sexualität mit ebenso gutem Recht sagen konnten, der betreffende Vorgang wirke sexuell befriedigend, wie er wirke sexuell erregend. Wir merken, daß wir auf dem Wege zur Erkenntnis uns die Unterschiede des infantilen und des reifen Sexuallebens zunächst übertrieben groß vorgestellt haben, und tragen nun die Korrektur nach. Nicht nur die Abweichungen vom normalen Sexualleben, sondern auch die normale Gestaltung desselben wird durch die infantilen Äußerungen der Sexualität bestimmt.

Das Problem der Sexualerregung

Es ist uns durchaus unaufgeklärt geblieben, woher die Sexualspannung rührt, die bei der Befriedigung erogener Zonen gleichzeitig mit der Lust entsteht, und welches das Wesen derselben ist.[1] Die nächste Vermutung, diese Spannung ergebe sich irgendwie aus der Lust selbst, ist nicht nur an sich sehr unwahrscheinlich, sie wird auch hinfällig, da bei der größten Lust, die an die Entleerung der Geschlechtsprodukte geknüpft ist, keine Spannung erzeugt, son-

---

1 Es ist überaus lehrreich, daß die deutsche Sprache der im Text erwähnten Rolle der vorbereitenden sexuellen Erregungen, welche gleichzeitig einen Anteil Befriedigung und einen Beitrag zur Sexualspannung liefern, im Gebrauche des Wortes »Lust« Rechnung trägt. »Lust« ist doppelsinnig und bezeichnet ebensowohl die Empfindung der Sexualspannung (Ich habe Lust = ich möchte, ich verspüre den Drang) als auch die der Befriedigung.

dern alle Spannung aufgehoben wird. Lust und Sexualspannung können also nur in indirekter Weise zusammenhängen.

Rolle der Sexualstoffe Außer der Tatsache, daß normalerweise allein die Entlastung von den Sexualstoffen der Sexualerregung ein Ende macht, hat man noch andere Anhaltspunkte, die Sexualspannung in Beziehung zu den Sexualprodukten zu bringen. Bei enthaltsamem Leben pflegt der Geschlechtsapparat in wechselnden, aber nicht regellosen Perioden nächtlicherweise sich unter Lustempfindung und während der Traumhalluzination eines sexuellen Aktes der Sexualstoffe zu entledigen, und für diesen Vorgang – die nächtliche Pollution – ist die Auffassung schwer abzuweisen, daß die Sexualspannung, die den kurzen halluzinatorischen Weg zum Ersatz des Aktes zu finden weiß, eine Funktion der Samenanhäufung in den Reservoirs für die Geschlechtsprodukte sei. Im gleichen Sinne sprechen die Erfahrungen, die man über die Erschöpfbarkeit des sexuellen Mechanismus macht. Bei entleertem Samenvorrat ist nicht nur die Ausführung des Sexualaktes unmöglich, es versagt auch die Reizbarkeit der erogenen Zonen, deren geeignete Erregung dann keine Lust hervorrufen kann. Wir erfahren so nebenbei, daß ein gewisses Maß sexueller Spannung selbst für die Erregbarkeit der erogenen Zonen erforderlich ist.

Man würde so zur Annahme gedrängt, die, wenn ich nicht irre, ziemlich allgemein verbreitet ist, daß die Anhäufung der Sexualstoffe die Sexualspannung schafft und unterhält, etwa indem der Druck dieser Produkte auf die Wandung ihrer Behälter als Reiz auf ein spinales Zentrum wirkt, dessen Zustand von höheren Zentren wahrgenommen wird und dann für das Bewußtsein die bekannte Spannungsempfindung ergibt. Wenn die Erregung erogener Zonen die Sexualspannung steigert, so könnte dies nur so zugehen, daß die erogenen Zonen in vorgebildeter anatomischer Verbindung mit diesen Zentren stehen, den Tonus der Erregung daselbst erhöhen, bei genügender Sexualspannung den sexuellen Akt in Gang bringen und bei ungenügender die Produktion der Geschlechtsstoffe anregen.

Die Schwäche dieser Lehre, die man z. B. in v. Krafft-Ebings Darstellung der Sexualvorgänge angenommen findet, liegt darin, daß sie, für die Geschlechtstätigkeit des reifen Mannes geschaffen, auf dreierlei Verhältnisse wenig Rücksicht nimmt, deren Aufklärung sie gleichfalls liefern sollte. Es sind dies die Verhältnisse beim Kinde, beim Weibe und beim männlichen Kastraten. In allen drei Fällen ist von einer Anhäufung von Geschlechtsprodukten im gleichen Sinne wie beim Manne nicht die Rede, was die glatte Anwendung des Schemas erschwert; doch ist ohneweiters zuzugeben, daß sich Auskünfte finden ließen, welche die Unterordnung auch dieser Fälle ermöglichen würden. Auf jeden Fall bleibt die Warnung bestehen, dem Faktor der Anhäufung der Geschlechtsprodukte nicht Leistungen aufzubürden, deren er unfähig scheint.

Daß die Sexualerregung in beachtenswertem Grade unabhängig von der Produktion der Geschlechtsstoffe sein kann, scheinen die Beobachtungen an männlichen Kastraten zu ergeben, bei denen gelegentlich die Libido der Beeinträchtigung durch die Operation entgeht, wenngleich das entgegengesetzte Verhalten, das ja die Operation motiviert, die Regel ist. Überdies weiß man ja längst, daß Krankheiten, welche die Produktion der männlichen Geschlechtszellen vernichtet haben, die Libido und Potenz des nun sterilen Individuums ungeschädigt lassen. Es ist dann keineswegs so verwunderlich, wie C. Rieger es hinstellt, daß der Verlust der männlichen Keimdrüsen im reiferen Alter ohne weiteren Einfluß auf das seelische Verhalten des Individuums bleiben kann. Die im zarten Alter vor der Pubertät vorgenommene Kastration nähert sich zwar in ihrer Wirkung dem Ziel einer Aufhebung der Geschlechtscharaktere, allein auch dabei könnte außer dem Verlust der Geschlechtsdrüsen an sich eine mit deren Wegfall verknüpfte Entwicklungshemmung anderer Faktoren in Betracht kommen. *(margin: Einschätzung der inneren Geschlechtsteile)*

Tierversuche mit Entfernung der Keimdrüsen (Hoden und Ovarien) und entsprechend variierter Einpflanzung neuer solcher Organe bei Wirbeltieren (s. das zitierte Werk von Lipschütz, S. 13) haben endlich ein partielles Licht auf die Herkunft der Sexualerregung geworfen und dabei die Bedeutung einer etwaigen Anhäufung der zelligen Geschlechtsprodukte noch weiter zurückgedrängt. Es ist dem Experiment möglich geworden (E. Steinach), ein Männchen in ein Weibchen und umgekehrt ein Weibchen in ein Männchen zu verwandeln, wobei sich das psychosexuelle Verhalten des Tieres *(margin: Chemische Theorie)* entsprechend den somatischen Geschlechtscharakteren und gleichzeitig mit ihnen änderte. Dieser geschlechtsbestimmende Einfluß soll aber nicht dem Anteil der Keimdrüse zukommen, welcher die spezifischen Geschlechtszellen (Samenfäden und Ei) erzeugt, sondern dem interstitiellen Gewebe derselben, welches darum von den Autoren als »Pubertätsdrüse« hervorgehoben wird. Es ist sehr wohl möglich, daß weitere Untersuchungen ergeben, die Pubertätsdrüse sei normalerweise zwittrig angelegt, wodurch die Lehre von der Bisexualität der höheren Tiere anatomisch begründet würde, und es ist schon jetzt wahrscheinlich, daß sie nicht das einzige Organ ist, welches mit der Produktion der Sexualerregung und der Geschlechtscharaktere zu tun hat. Jedenfalls schließt dieser neue biologische Fund an das an, was wir schon vorher über die Rolle der Schilddrüse für die Sexualität erfahren haben. Wir dürfen nun glauben, daß im interstitiellen Anteil der Keimdrüsen besondere chemische Stoffe erzeugt werden, die, vom Blutstrom aufgenommen, die Ladung bestimmter Anteile des Zentralnervensystems mit sexueller Spannung zustande kommen lassen, wie wir ja solche Umsetzung eines toxischen Reizes in einen besonderen Organreiz von anderen dem Körper als fremd eingeführten Giftstoffen kennen. Wie die Sexualerregung durch Reizung erogener Zonen bei vorheriger Ladung der zentralen Apparate entsteht und welche Verwicklungen von rein toxischen und physiologischen Reizwirkungen sich bei diesen Sexualvorgängen ergeben, das auch nur hypothetisch zu behandeln kann keine zeitgemäße Aufgabe sein. Es genüge uns als wesentlich an dieser Auffassung der Sexualvorgänge, die Annahme besonderer, dem Sexualstoffwechsel entstammender Stoffe festzuhalten. Denn diese anscheinend willkürliche Aufstellung wird durch eine wenig beachtete, aber höchst beachtenswerte Einsicht unterstützt. Die Neurosen, welche sich nur auf Störungen des Sexuallebens zurückführen lassen, zeigen die größte klinische Ähnlichkeit mit den Phänomenen der Intoxikation und Abstinenz, welche sich durch die habituelle Einführung Lust erzeugender Giftstoffe (Alkaloide) ergeben.

Die Libidotheorie

Mit diesen Vermutungen über die chemische Grundlage der Sexualerregung stehen in guter Übereinstimmung die Hilfsvorstellungen, die wir uns zur Bewältigung der psychischen Äußerungen des Sexuallebens geschaffen haben. Wir haben uns den Begriff der *Libido* festgelegt als einer quantitativ veränderlichen Kraft, welche Vorgänge und Umsetzungen auf dem Gebiete der Sexualerregung messen könnte. Diese Libido sondern wir von der Energie, die den seelischen Prozessen allgemein unterzulegen ist, mit Beziehung auf ihren besonderen Ursprung und verleihen ihr so auch einen qualitativen Charakter. In der Sonderung von libidinöser und anderer psychischer Energie drücken wir die Voraussetzung aus, daß sich die Sexualvorgänge des Organismus durch einen besonderen Chemismus von den Ernährungsvorgängen unterscheiden. Die Analyse der Perversionen und Psychoneurosen hat uns zur Einsicht gebracht, daß diese Sexualerregung nicht von den sogenannten Geschlechtsteilen allein, sondern von allen Körperorganen geliefert wird. Wir bilden uns also die Vorstellung eines Libidoquantums, dessen psychische Vertretung wir die *Ichlibido* heißen, dessen Produktion, Vergrößerung oder Verminderung, Verteilung und Verschiebung uns die Erklärungsmöglichkeiten für die beobachteten psychosexuellen Phänomene bieten soll.

Dem analytischen Studium bequem zugänglich wird diese Ichlibido aber nur, wenn sie die psychische Verwendung zur Besetzung von Sexualobjekten gefunden hat, also zur *Objektlibido* geworden ist. Wir sehen sie dann sich auf Objekte konzentrieren, an ihnen fixieren oder aber diese Objekte verlassen, von ihnen auf andere übergehen und von diesen Positionen aus die Sexualbetätigung des Individuums lenken, die zur Befriedigung, das heißt zum partiellen und zeitweisen Erlöschen der Libido führt. Die Psychoanalyse der sogenannten Übertragungsneurosen (Hysterie und Zwangsneurose) gestattet uns hier einen sicheren Einblick.

Von den Schicksalen der Objektlibido können wir erkennen, daß sie von den Objekten abgezogen, in besonderen Spannungszuständen schwebend erhalten und endlich ins Ich zurückgeholt wird, so daß sie wieder zur Ichlibido geworden ist. Die Ichlibido heißen wir im Gegensatz zur Objektlibido auch *narzißtische* Libido. Von der Psychoanalyse aus schauen wir wie über eine Grenze, deren Überschreitung uns nicht gestattet ist, in das Getriebe der narzißtischen Libido hinein und bilden uns eine Vorstellung von dem Verhältnis der beiden.[1] Die narzißtische oder Ichlibido erscheint uns als das große Reservoir, aus welchem die Objektbesetzungen ausgeschickt und in welches sie wieder einbezogen werden, die narzißtische Libidobesetzung des Ichs als der in der ersten Kindheit realisierte Urzustand, welcher durch die späteren Aussendungen der Libido nur verdeckt wird, im Grunde hinter denselben erhalten geblieben ist.

Die Aufgabe einer Libidotheorie der neurotischen und psychotischen Störungen müßte sein, alle beobachteten Phänomene und erschlossenen Vorgänge in den Terminis der Libidoökonomie auszudrücken. Es ist leicht zu erraten, daß den Schicksalen der Ichlibido dabei die größere Bedeutung zufallen wird, besonders wo es sich um die Erklärung der tieferen psychotischen Störungen handelt. Die Schwierigkeit liegt dann darin, daß das Mittel unserer Untersuchung, die Psychoanalyse, uns vorläufig nur über die Wandlungen an der Objektlibido sichere Auskunft bringt[2], die Ichlibido aber von den anderen im Ich wirkenden Energien nicht ohneweiters zu scheiden vermag.[3] Eine Fortführung der Libidotheorie ist deshalb vorläufig nur auf dem Wege der Spekulation möglich. Man verzichtet aber auf allen Gewinn aus der bisherigen psychoanalytischen Beobachtung, wenn man nach dem Vorgang von C. G. Jung den Begriff der Libido selbst verflüchtigt, indem man sie mit der psychischen Triebkraft überhaupt zusammenfallen läßt.

Die Sonderung der sexuellen Triebregungen von den anderen und somit die Einschränkung des Begriffes Libido auf diese ersteren findet eine starke Unterstützung in der vorhin erörterten Annahme eines besonderen Chemismus der Sexualfunktion.

---

1 Diese Beschränkung hat nicht mehr ihre frühere Giltigkeit, seitdem auch andere als die »Übertragungsneurosen« der Psychoanalyse in größerem Ausmaße zugänglich geworden sind.

2 Siehe obige Anmerkung.

3 S. Zur Einführung des Narzißmus, Jahrbuch der Psychoanalyse VI, 1914 (Bd. X der Ges. Werke). – Der Terminus »Narzißmus« ist nicht, wie dort irrtümlich angegeben, von Näcke, sondern von H. Ellis geschaffen worden.

Differenzierung von Mann und Weib

Es ist bekannt, daß erst mit der Pubertät sich die scharfe Sonderung des männlichen und weiblichen Charakters herstellt, ein Gegensatz, der dann wie kein anderer die Lebensgestaltung der Menschen entscheidend beeinflußt. Männliche und weibliche Anlage sind allerdings schon im Kindesalter gut kenntlich; die Entwicklung der Sexualitätshemmungen (Scham, Ekel, Mitleid usw.) erfolgt beim kleinen Mädchen frühzeitiger und gegen geringeren Widerstand als beim Knaben; die Neigung zur Sexualverdrängung erscheint überhaupt größer; wo sich Partialtriebe der Sexualität bemerkbar machen, bevorzugen sie die passive Form. Die autoerotische Betätigung der erogenen Zonen ist aber beiden Geschlechtern die nämliche, und durch diese Übereinstimmung ist die Möglichkeit eines Geschlechtsunterschiedes, wie er sich nach der Pubertät herstellt, für die Kindheit aufgehoben. Mit Rücksicht auf die autoerotischen und masturbatorischen Sexualäußerungen könnte man den Satz aufstellen, die Sexualität der kleinen Mädchen habe durchaus männlichen Charakter. Ja, wüßte man den Begriffen »männlich und weiblich« einen bestimmteren Inhalt zu geben, so ließe sich auch die Behauptung vertreten, die Libido sei regelmäßig und gesetzmäßig männlicher Natur, ob sie nun beim Manne oder beim Weibe vorkomme und abgesehen von ihrem Objekt, mag dies der Mann oder das Weib sein.[1]

---

1 Es ist unerläßlich, sich klarzumachen, daß die Begriffe »männlich« und »weiblich«, deren Inhalt der gewöhnlichen Meinung so unzweideutig erscheint, in der Wissenschaft zu den verworrensten gehören und nach mindestens *drei* Richtungen zu zerlegen sind. Man gebraucht männlich und weiblich bald im Sinne von *Aktivität* und *Passivität*, bald im *biologischen* und dann auch im *soziologischen* Sinne. Die erste dieser drei Bedeutungen ist die wesentliche und die in der Psychoanalyse zumeist verwertbare. Ihr entspricht es, wenn die Libido oben im Text als männlich bezeichnet wird, denn der Trieb ist immer aktiv, auch wo er sich ein passives Ziel gesetzt hat. Die zweite, biologische Bedeutung von männlich und weiblich ist die, welche die klarste Bestimmung zuläßt. Männlich und weiblich sind hier durch die Anwesenheit der Samen-, respektive Eizelle und durch die von ihnen ausgehenden Funktionen charakterisiert. Die Aktivität und ihre Nebenäußerungen, stärkere Muskelentwicklung, Aggression, größere Intensität der Libido, sind in der Regel mit der

119

Seitdem ich mit dem Gesichtspunkte der Bisexualität bekannt geworden bin, halte ich dieses Moment für das hier maßgebende und meine, ohne der Bisexualität Rechnung zu tragen, wird man kaum zum Verständnis der tatsächlich zu beobachtenden Sexualäußerungen von Mann und Weib gelangen können.

Leitzonen bei Mann und Weib Von diesem abgesehen, kann ich nur noch folgendes hinzufügen: Die leitende erogene Zone ist auch beim weiblichen Kinde an der Klitoris gelegen, der männlichen Genitalzone an der Eichel also homolog. Alles, was ich über Masturbation bei kleinen Mädchen in Erfahrung bringen konnte, betraf die Klitoris und nicht die für die späteren Geschlechtsfunktionen bedeutsamen Partien des äußeren Genitales. Ich zweifle selbst daran, daß das weibliche Kind unter dem Einflusse der Verführung zu etwas anderem als zur Klitorismasturbation gelangen kann, es sei denn ganz ausnahmsweise. Die gerade bei kleinen Mädchen so häufigen Spontanentladungen der sexuellen Erregtheit äußern sich in Zuckungen der Klitoris, und die häufigen Erektionen derselben ermöglichen es den Mädchen, die Sexualäußerungen des anderen Geschlechts auch ohne Unterweisung richtig zu beurteilen, indem sie einfach die Empfindungen der eigenen Sexualvorgänge auf die Knaben übertragen.

Will man das Weibwerden des kleinen Mädchens verstehen, so muß man die weiteren Schicksale dieser Klitoriserregbarkeit verfolgen. Die Pubertät, welche dem Knaben jenen großen Vorstoß der Libido bringt, kennzeichnet sich für das Mädchen durch eine neuerliche Verdrängungswelle, von der gerade die Klitorissexualität betroffen

---

biologischen Männlichkeit verlötet, aber nicht notwendigerweise verknüpft, denn es gibt Tiergattungen, bei denen diese Eigenschaften vielmehr dem Weibchen zugeteilt sind. Die dritte, soziologische Bedeutung erhält ihren Inhalt durch die Beobachtung der wirklich existierenden männlichen und weiblichen Individuen. Diese ergibt für den Menschen, daß weder im psychologischen noch im biologischen Sinne eine reine Männlichkeit oder Weiblichkeit gefunden wird. Jede Einzelperson weist vielmehr eine Vermengung ihres biologischen Geschlechtscharakters mit biologischen Zügen des anderen Geschlechts und eine Vereinigung von Aktivität und Passivität auf, sowohl insofern diese psychischen Charakterzüge von den biologischen abhängen, als auch insoweit sie unabhängig von ihnen sind.

wird. Es ist ein Stück männlichen Sexuallebens, was dabei der Verdrängung verfällt. Die bei dieser Pubertätsverdrängung des Weibes geschaffene Verstärkung der Sexualhemmnisse ergibt dann einen Reiz für die Libido des Mannes und nötigt dieselbe zur Steigerung ihrer Leistungen: mit der Höhe der Libido steigt dann auch die Sexualüberschätzung, die nur für das sich weigernde, seine Sexualität verleugnende Weib im vollen Maße zu haben ist. Die Klitoris behält dann die Rolle, wenn sie beim endlich zugelassenen Sexualakt selbst erregt wird, diese Erregung an die benachbarten weiblichen Teile weiterzuleiten, etwa wie ein Span Kienholz dazu benützt werden kann, das härtere Brennholz in Brand zu setzen. Es nimmt oft eine gewisse Zeit in Anspruch, bis sich diese Übertragung vollzogen hat, während welcher dann das junge Weib anästhetisch ist. Diese Anästhesie kann eine dauernde werden, wenn die Klitoriszone ihre Erregbarkeit abzugeben sich weigert, was gerade durch ausgiebige Betätigung im Kinderleben vorbereitet wird. Es ist bekannt, daß die Anästhesie der Frauen häufig nur eine scheinbare, eine lokale ist. Sie sind anästhetisch am Scheideneingang, aber keineswegs unerregbar von der Klitoris oder selbst von anderen Zonen aus. Zu diesen erogenen Anlässen der Anästhesie gesellen sich dann noch die psychischen, gleichfalls durch Verdrängung bedingten.

Ist die Übertragung der erogenen Reizbarkeit von der Klitoris auf den Scheideneingang gelungen, so hat damit das Weib seine für die spätere Sexualbetätigung leitende Zone gewechselt, während der Mann die seinige von der Kindheit an beibehalten hat. In diesem Wechsel der leitenden erogenen Zone sowie in dem Verdrängungsschub der Pubertät, der gleichsam die infantile Männlichkeit beiseite schafft, liegen die Hauptbedingungen für die Bevorzugung des Weibes zur Neurose, insbesondere zur Hysterie. Diese Bedingungen hängen also mit dem Wesen der Weiblichkeit innigst zusammen.

Die Objektfindung

Während durch die Pubertätsvorgänge das Primat der Genitalzonen festgelegt wird und das Vordrängen des erigiert gewordenen Gliedes beim Manne gebieterisch auf das neue Sexualziel hinweist, auf das

Eindringen in eine die Genitalzone erregende Körperhöhle, vollzieht sich von psychischer Seite her die Objektfindung, für welche
von der frühesten Kindheit an vorgearbeitet worden ist. Als die an-
fänglichste Sexualbefriedigung noch mit der Nahrungsaufnahme
verbunden war, hatte der Sexualtrieb ein Sexualobjekt außerhalb des
eigenen Körpers in der Mutterbrust. Er verlor es nur später, vielleicht gerade zur Zeit, als es dem Kinde möglich wurde, die Gesamt-
vorstellung der Person, welcher das ihm Befriedigung spendende
Organ angehörte, zu bilden. Der Geschlechtstrieb wird dann in der
Regel autoerotisch, und erst nach Überwindung der Latenzzeit
stellt sich das ursprüngliche Verhältnis wieder her. Nicht ohne guten
Grund ist das Saugen des Kindes an der Brust der Mutter vorbildlich
für jede Liebesbeziehung geworden. Die Objektfindung ist eigentlich eine Wiederfindung.[1]

**Sexual-
objekt der
Säuglings-
zeit**
Aber von dieser ersten und wichtigsten aller sexuellen Beziehungen
bleibt auch nach der Abtrennung der Sexualtätigkeit von der Nahrungsaufnahme ein wichtiges Stück übrig, welches die Objektwahl
vorbereitet, das verlorene Glück also wiederherstellen hilft. Die
ganze Latenzzeit über lernt das Kind andere Personen, die seiner
Hilflosigkeit abhelfen und seine Bedürfnisse befriedigen, *lieben*,
durchaus nach dem Muster und in Fortsetzung seines Säuglingsver-
hältnisses zur Amme. Man wird sich vielleicht sträuben wollen, die
zärtlichen Gefühle und die Wertschätzung des Kindes für seine Pflegepersonen mit der geschlechtlichen Liebe zu identifizieren, allein
ich meine, eine genauere psychologische Untersuchung wird diese
Identität über jeden Zweifel hinaus feststellen können. Der Verkehr
des Kindes mit seiner Pflegeperson ist für dasselbe eine unaufhörlich
fließende Quelle sexueller Erregung und Befriedigung von erogenen
Zonen aus, zumal da letztere – in der Regel doch die Mutter – das
Kind selbst mit Gefühlen bedenkt, die aus ihrem Sexualleben stam-

---

1 Die Psychoanalyse lehrt, daß es zwei Wege der Objektfindung gibt, erstens die
  im Text besprochene, die in *Anlehnung* an die frühinfantilen Vorbilder vor sich
  geht, und zweitens die *narzißtische*, die das eigene Ich sucht und im anderen
  wiederfindet. Diese letztere hat eine besonders große Bedeutung für die pathologischen Ausgänge, fügt sich aber nicht in den hier behandelten Zusammenhang.

men, es streichelt, küßt und wiegt und ganz deutlich zum Ersatz für ein vollgültiges Sexualobjekt nimmt.[1] Die Mutter würde wahrscheinlich erschrecken, wenn man ihr die Aufklärung gäbe, daß sie mit all ihren Zärtlichkeiten den Sexualtrieb ihres Kindes weckt und dessen spätere Intensität vorbereitet. Sie hält ihr Tun für asexuelle »reine« Liebe, da sie es doch sorgsam vermeidet, den Genitalien des Kindes mehr Erregungen zuzuführen, als bei der Körperpflege unumgänglich ist. Aber der Geschlechtstrieb wird nicht nur durch Erregung der Genitalzone geweckt, wie wir ja wissen; was wir Zärtlichkeit heißen, wird unfehlbar eines Tages seine Wirkung auch auf die Genitalzonen äußern. Verstünde die Mutter mehr von der hohen Bedeutung der Triebe für das gesamte Seelenleben, für alle ethischen und psychischen Leistungen, so würde sie sich übrigens auch nach der Aufklärung alle Selbstvorwürfe ersparen. Sie erfüllt nur ihre Aufgabe, wenn sie das Kind lieben lehrt; es soll ja ein tüchtiger Mensch mit energischem Sexualbedürfnis werden und in seinem Leben all das vollbringen, wozu der Trieb den Menschen drängt. Ein Zuviel von elterlicher Zärtlichkeit wird freilich schädlich werden, indem es die sexuelle Reifung beschleunigt, auch dadurch, daß es das Kind »verwöhnt«, es unfähig macht, im späteren Leben auf Liebe zeitweilig zu verzichten oder sich mit einem geringeren Maß davon zu begnügen. Es ist eines der besten Vorzeichen späterer Nervosität, wenn das Kind sich unersättlich in seinem Verlangen nach Zärtlichkeit der Eltern erweist, und anderseits werden gerade neuropathische Eltern, die ja meist zur maßlosen Zärtlichkeit neigen, durch ihre Liebkosungen die Disposition des Kindes zur neurotischen Erkrankung am ehesten erwecken. Man ersieht übrigens aus diesem Beispiel, daß es für neurotische Eltern direktere Wege als den der Vererbung gibt, ihre Störung auf die Kinder zu übertragen

Die Kinder selbst benehmen sich von frühen Jahren an, als sei ihre **Infantile** Anhänglichkeit an ihre Pflegepersonen von der Natur der sexuellen **Angst** Liebe. Die Angst der Kinder ist ursprünglich nichts anderes als der

---

1 Wenn diese Auffassung »frevelhaft« dünkt, der lese die fast gleichsinnige Behandlung des Verhältnisses zwischen Mutter und Kind bei Havelock Ellis nach. (Das Geschlechtsgefühl, S. 16.)

Ausdruck, daß sie die geliebte Person vermissen; sie kommen darum jedem Fremden mit Angst entgegen; sie fürchten sich in der Dunkelheit, weil man in dieser die geliebte Person nicht sieht, und lassen sich beruhigen, wenn sie dieselbe in der Dunkelheit bei der Hand fassen können. Man überschätzt die Wirkung aller Kinderschrecken und gruseligen Erzählungen der Kinderfrauen, wenn man diesen schuld gibt, daß sie die Ängstlichkeit der Kinder erzeugen. Kinder, die zur Ängstlichkeit neigen, nehmen nur solche Erzählungen auf, die an anderen durchaus nicht haften wollen; und zur Ängstlichkeit neigen nur Kinder mit übergroßem oder vorzeitig entwickeltem oder durch Verzärtelung anspruchsvoll gewordenem Sexualtrieb. Das Kind benimmt sich hiebei wie der Erwachsene, indem es seine Libido in Angst verwandelt, sowie es sie nicht zur Befriedigung zu bringen vermag, und der Erwachsene wird sich dafür, wenn er durch unbefriedigte Libido neurotisch geworden ist, in seiner Angst wie ein Kind benehmen, sich zu fürchten beginnen, sowie er allein, das heißt ohne eine Person ist, deren Liebe er sicher zu sein glaubt, und diese seine Angst durch die kindischesten Maßregeln beschwichtigen wollen.[1]

Inzest-schranke[2] Wenn die Zärtlichkeit der Eltern zum Kinde es glücklich vermieden hat, den Sexualtrieb desselben vorzeitig, das heißt ehe die körperlichen Bedingungen der Pubertät gegeben sind, in solcher Stärke zu

---

1 Die Aufklärung über die Herkunft der kindlichen Angst verdanke ich einem dreijährigen Knaben, den ich einmal aus einem dunklen Zimmer bitten hörte: »Tante, sprich mit mir; ich fürchte mich, weil es so dunkel ist.« Die Tante rief ihn an: »Was hast du denn davon? Du siehst mich ja nicht.« »Das macht nichts«, antwortete das Kind, »wenn jemand spricht, wird es hell.« – Er fürchtete sich also nicht vor der Dunkelheit, sondern weil er eine geliebte Person vermißte, und konnte versprechen sich zu beruhigen, sobald er einen Beweis von deren Anwesenheit empfangen hatte. – Daß die neurotische Angst aus der Libido entsteht, ein Umwandlungsprodukt derselben darstellt, sich also etwa so zu ihr verhält wie der Essig zum Wein, ist eines der bedeutsamsten Resultate der psychoanalytischen Forschung. Eine weitere Diskussion dieses Problems siehe in meinen »Vorlesungen zur Einführung in die Psychoanalyse« 1917 (Bd. XI der Ges. Werke), woselbst wohl auch nicht die endgültige Aufklärung erreicht worden ist.

2 [Diese Marginalie fehlte, offenbar irrtümlicherweise, von 1924 an.]

wecken, daß die seelische Erregung in unverkennbarer Weise zum Genitalsystem durchbricht, so kann sie ihre Aufgabe erfüllen, dieses Kind im Alter der Reife bei der Wahl des Sexualobjekts zu leiten. Gewiß läge es dem Kinde am nächsten, diejenigen Personen selbst zu Sexualobjekten zu wählen, die es mit einer sozusagen abgedämpften Libido seit seiner Kindheit liebt.[1] Aber durch den Aufschub der sexuellen Reifung ist die Zeit gewonnen worden, neben anderen Sexualhemmnissen die Inzestschranke aufzurichten, jene moralischen Vorschriften in sich aufzunehmen, welche die geliebten Personen der Kindheit als Blutsverwandte ausdrücklich von der Objektwahl ausschließen. Die Beachtung dieser Schranke ist vor allem eine Kulturforderung der Gesellschaft, welche sich gegen die Aufzehrung von Interessen durch die Familie wehren muß, die sie für die Herstellung höherer sozialer Einheiten braucht, und darum mit allen Mitteln dahin wirkt, bei jedem einzelnen, speziell beim Jüngling, den in der Kindheit allein maßgebenden Zusammenhang mit seiner Familie zu lockern.[2]

Die Objektwahl wird aber zunächst in der Vorstellung vollzogen, und das Geschlechtsleben der eben reifenden Jugend hat kaum einen anderen Spielraum, als sich in Phantasien, das heißt in nicht zur Ausführung bestimmten Vorstellungen zu ergehen.[3] In diesen

---

1 Vgl. hiezu das auf S. 101 über die Objektwahl des Kindes Gesagte: die »zärtliche Strömung«.

2 Die Inzestschranke gehört wahrscheinlich zu den historischen Erwerbungen der Menschheit und dürfte wie andere Moraltabus bereits bei vielen Individuen durch organische Vererbung fixiert sein. (Vgl. meine Schrift: Totem und Tabu 1912–13, Bd. IX der Ges. Werke.) Doch zeigt die psychoanalytische Untersuchung, wie intensiv noch der einzelne in seinen Entwicklungszeiten mit der Inzestversuchung ringt und wie häufig er sie in Phantasien und selbst in der Realität übertritt.

3 Die Phantasien der Pubertätszeit knüpfen an die in der Kindheit verlassene infantile Sexualforschung an, reichen wohl auch ein Stück in die Latenzzeit zurück. Sie können ganz oder zum großen Teil unbewußt gehalten werden, entziehen sich darum häufig einer genauen Datierung. Sie haben große Bedeutung für die Entstehung mannigfaltiger Symptome, indem sie geradezu die Vorstufen derselben abgeben, also die Formen herstellen, in denen die verdrängten Libidokomponenten ihre Befriedigung finden. Ebenso sind sie die

Phantasien treten bei allen Menschen die infantilen Neigungen, nun durch den somatischen Nachdruck verstärkt, wieder auf, und unter ihnen in gesetzmäßiger Häufigkeit und an erster Stelle die meist bereits durch die Geschlechtsanziehung differenzierte Sexualregung des Kindes für die Eltern, des Sohnes für die Mutter und der Tochter für den Vater.[1] Gleichzeitig mit der Überwindung und Verwerfung dieser deutlich inzestuösen Phantasien wird eine der bedeutsamsten, aber auch schmerzhaftesten, psychischen Leistungen der Pubertätszeit vollzogen, die Ablösung von der Autorität der Eltern, durch welche erst der für den Kulturfortschritt so wichtige Gegen-

---

Vorlagen der nächtlichen Phantasien, die als Träume bewußt werden. Träume sind häufig nichts anderes als Wiederbelebungen solcher Phantasien unter dem Einfluß und in Anlehnung an einen aus dem Wachleben erübrigten Tagesreiz (»Tagesreste«). – Unter den sexuellen Phantasien der Pubertätszeit ragen einige hervor, welche durch allgemeinstes Vorkommen und weitgehende Unabhängigkeit vom Erleben des einzelnen ausgezeichnet sind. So die Phantasien von der Belauschung des elterlichen Geschlechtsverkehrs, von der frühen Verführung durch geliebte Personen, von der Kastrationsdrohung, die Mutterleibsphantasien, deren Inhalt Verweilen und selbst Erlebnisse im Mutterleib sind, und der sogenannte »Familienroman«, in welchem der Heranwachsende auf den Unterschied seiner Einstellung zu den Eltern jetzt und in der Kindheit reagiert. Die nahen Beziehungen dieser Phantasien zum Mythus hat für das letzte Beispiel O. Rank in seiner Schrift »Der Mythus von der Geburt des Helden« 1909 aufgezeigt.

Man sagt mit Recht, daß der Ödipuskomplex der Kernkomplex der Neurosen ist, das wesentliche Stück im Inhalt der Neurose darstellt. In ihm gipfelt die infantile Sexualität, welche durch ihre Nachwirkungen die Sexualität des Erwachsenen entscheidend beeinflußt. Jedem menschlichen Neuankömmling ist die Aufgabe gestellt, den Ödipuskomplex zu bewältigen; wer es nicht zustande bringt, ist der Neurose verfallen. Der Fortschritt der psychoanalytischen Arbeit hat diese Bedeutung des Ödipuskomplexes immer schärfer gezeichnet; seine Anerkennung ist das Schibboleth geworden, welches die Anhänger der Psychoanalyse von ihren Gegnern scheidet.

In einer anderen Schrift (Das Trauma der Geburt, 1924) hat Rank die Mutterbindung auf die embryonale Vorzeit zurückgeführt und so die biologische Grundlage des Ödipuskomplexes aufgezeigt. Die Inzestschranke leitet er abweichend vom Vorstehenden von dem traumatischen Eindruck der Geburtsangst ab.

1 Vergleiche die Ausführungen über das unvermeidliche Verhängnis in der Ödipusfabel (»Traumdeutung«, 8. Auflage, S. 181, Bd. II/III der Ges. Werke).

satz der neuen Generation zur alten geschaffen wird. Auf jeder der Stationen des Entwicklungsganges, den die Individuen durchmachen sollen, wird eine Anzahl derselben zurückgehalten, und so gibt es auch Personen, welche die Autorität der Eltern nie überwunden und ihre Zärtlichkeit von denselben nicht oder nur sehr unvollständig zurückgezogen haben. Es sind zumeist Mädchen, die so zur Freude der Eltern weit über die Pubertät hinaus bei der vollen Kinderliebe verbleiben, und da wird es dann sehr lehrreich zu finden, daß es diesen Mädchen in ihrer späteren Ehe an dem Vermögen gebricht, ihren Männern das Gebührende zu schenken. Sie werden kühle Ehefrauen und bleiben sexuell anästhetisch. Man lernt daraus, daß die anscheinend nicht sexuelle Liebe zu den Eltern und die geschlechtliche Liebe aus denselben Quellen gespeist werden, das heißt, daß die erstere nur einer infantilen Fixierung der Libido entspricht.

Je mehr man sich den tieferen Störungen der psychosexuellen Entwicklung nähert, desto unverkennbarer tritt die Bedeutung der inzestuösen Objektwahl hervor. Bei den Psychoneurotikern verbleibt infolge von Sexualablehnung ein großes Stück oder das Ganze der psychosexuellen Tätigkeit zur Objektfindung im Unbewußten. Für die Mädchen mit übergroßem Zärtlichkeitsbedürfnis und ebensolchem Grausen vor den realen Anforderungen des Sexuallebens wird es zu einer unwiderstehlichen Versuchung, sich einerseits das Ideal der asexuellen Liebe im Leben zu verwirklichen und andererseits ihre Libido hinter einer Zärtlichkeit, die sie ohne Selbstvorwurf äußern dürfen, zu verbergen, indem sie die infantile, in der Pubertät aufgefrischte Neigung zu Eltern oder Geschwistern fürs Leben festhalten. Die Psychoanalyse kann solchen Personen mühelos nachweisen, daß sie in diese ihre Blutsverwandten im gemeinverständlichen Sinne des Wortes *verliebt* sind, indem sie mit Hilfe der Symptome und anderen Krankheitsäußerungen ihre unbewußten Gedanken aufspürt und in bewußte übersetzt. Auch wo ein vorerst Gesunder nach einer unglücklichen Liebeserfahrung erkrankt ist, kann man als den Mechanismus solcher Erkrankung die Rückwendung seiner Libido auf die infantil bevorzugten Personen mit Sicherheit aufdecken.

Nachwir-
kung der
infantilen
Objekt-
wahl

Auch wer die inzestuöse Fixierung seiner Libido glücklich vermieden hat, ist dem Einfluß derselben nicht völlig entzogen. Es ist ein
deutlicher Nachklang dieser Entwicklungsphase, wenn die erste
ernsthafte Verliebtheit des jungen Mannes, wie so häufig, einem reifen Weibe, die des Mädchens einem älteren, mit Autorität ausgestat-
teten Manne gilt, die ihnen das Bild der Mutter und des Vaters bele-
ben können.[1] In freierer Anlehnung an diese Vorbilder geht wohl
die Objektwahl überhaupt vor sich. Vor allem sucht der Mann nach
dem Erinnerungsbild der Mutter, wie es ihn seit den Anfängen der
Kindheit beherrscht; im vollen Einklang steht es damit, wenn sich
die noch lebende Mutter gegen diese ihre Erneuerung sträubt und
ihr mit Feindseligkeit begegnet. Bei solcher Bedeutung der kind-
chen Beziehungen zu den Eltern für die spätere Wahl des Sexualobjekts ist es leicht zu verstehen, daß jede Störung dieser Kindheits-
beziehungen die schwersten Folgen für das Sexualleben nach der
Reife zeitigt; auch die Eifersucht des Liebenden ermangelt nie der
infantilen Wurzel oder wenigstens der infantilen Verstärkung. Zwi-
stigkeiten zwischen den Eltern selbst, unglückliche Ehe derselben,
bedingen die schwerste Prädisposition für gestörte Sexualentwicklung oder neurotische Erkrankung der Kinder.

Die infantile Neigung zu den Eltern ist wohl die wichtigste, aber
nicht die einzige der Spuren, die, in der Pubertät aufgefrischt, dann
der Objektwahl den Weg weisen. Andere Ansätze derselben Herkunft gestatten dem Manne noch immer in Anlehnung an seine
Kindheit mehr als eine einzige *Sexualreihe* zu entwickeln, ganz verschiedene Bedingungen für die Objektwahl auszubilden.[2]

Verhü-
tung der
Inversion

Eine bei der Objektwahl sich ergebende Aufgabe liegt darin, das
entgegengesetzte Geschlecht nicht zu verfehlen. Sie wird, wie bekannt, nicht ohne einiges Tasten gelöst. Die ersten Regungen nach
der Pubertät gehen häufig genug – ohne dauernden Schaden – irre.
Dessoir hat mit Recht darauf aufmerksam gemacht, welche Gesetz-

---

1 Siehe meinen Aufsatz »Über einen besonderen Typus der Objektwahl beim
  Manne«, 1910 (Bd.VIII der Ges. Werke).
2 Ungezählte Eigentümlichkeiten des menschlichen Liebeslebens sowie das
  Zwanghafte der Verliebtheit selbst sind überhaupt nur durch die Rückbezie-
  hung auf die Kindheit und als Wirkungsreste derselben zu verstehen.

mäßigkeit sich in den schwärmerischen Freundschaften von Jünglingen und Mädchen für ihresgleichen verrät. Die größte Macht, welche eine dauernde Inversion des Sexualobjektes abwehrt, ist gewiß die Anziehung, welche die entgegengesetzten Geschlechtscharaktere füreinander äußern; zur Erklärung derselben kann im Zusammenhange dieser Erörterungen nichts gegeben werden.[1] Aber dieser Faktor reicht für sich allein nicht hin, die Inversion auszuschließen; es kommen wohl allerlei unterstützende Momente hinzu. Vor allem die Autoritätshemmung der Gesellschaft; wo die Inversion nicht als Verbrechen betrachtet wird, da kann man die Erfahrung machen, daß sie den sexuellen Neigungen nicht weniger Individuen voll entspricht. Ferner darf man für den Mann annehmen, daß die Kindererinnerung an die Zärtlichkeit der Mutter und anderer weiblicher Personen, denen er als Kind überantwortet war, energisch mithilft, seine Wahl auf das Weib zu lenken, während die von seiten des Vaters erfahrene frühzeitige Sexualeinschüchterung und die Konkurrenzeinstellung zu ihm vom gleichen Geschlechte ablenkt. Beide Momente gelten aber auch für das Mädchen, dessen Sexualbetätigung unter der besonderen Obhut der Mutter steht. Es ergibt sich so eine feindliche Beziehung zum eigenen Geschlecht, welche die Objektwahl entscheidend in dem für normal geltenden Sinn beeinflußt. Die Erziehung der Knaben durch männliche Personen (Sklaven in der antiken Welt) scheint die Homosexualität zu begünstigen; beim heutigen Adel wird die Häufigkeit der Inversion wohl durch die Verwendung männlicher Dienerschaft wie durch die geringere persönliche Fürsorge der Mütter für ihre Kinder um etwas verständlicher. Bei manchen Hysterischen ergibt sich, daß der frühzeitige Wegfall einer Person des Elternpaares (durch Tod, Ehescheidung, Entfremdung), worauf dann die übrigbleibende die ganze Liebe des Kindes an sich gezogen hatte, die Bedingung für das Geschlecht der später zum Sexualobjekt gewählten Person festgestellt und damit auch die dauernde Inversion ermöglicht hat.

---

1 Es ist hier der Ort, auf eine gewiß phantastische, aber überaus geistreiche Schrift von Ferenczi (Versuch einer Genitaltheorie, 1924) hinzuweisen, in der das Geschlechtsleben der höheren Tiere aus ihrer biologischen Entwicklungsgeschichte abgeleitet wird.

ZUSAMMENFASSUNG

Es ist an der Zeit, eine Zusammenfassung zu versuchen. Wir sind von den Abirrungen des Geschlechtstriebes in bezug auf sein Objekt und sein Ziel ausgegangen, haben die Fragestellung vorgefunden, ob diese aus angeborener Anlage entspringen oder infolge der Einflüsse des Lebens erworben werden. Die Beantwortung dieser Frage ergab sich uns aus der Einsicht in die Verhältnisse des Geschlechtstriebes bei den Psychoneurotikern, einer zahlreichen und den Gesunden nicht fernestehenden Menschengruppe, welche Einsicht wir durch psychoanalytische Untersuchung gewonnen hatten. Wir fanden so, daß bei diesen Personen die Neigungen zu allen Perversionen als unbewußte Mächte nachweisbar sind und sich als Symptombildner verraten, und konnten sagen, die Neurose sei gleichsam ein Negativ der Perversion. Angesichts der nun erkannten großen Verbreitung der Perversionsneigungen drängte sich uns der Gesichtspunkt auf, daß die Anlage zu den Perversionen die ursprüngliche allgemeine Anlage des menschlichen Geschlechtstriebes sei, aus welcher das normale Sexualverhalten infolge organischer Veränderungen und psychischer Hemmungen im Laufe der Reifung entwickelt werde. Die ursprüngliche Anlage hofften wir im Kindesalter aufzeigen zu können; unter den die Richtung des Sexualtriebes einschränkenden Mächten hoben wir Scham, Ekel, Mitleid und die sozialen Konstruktionen der Moral und Autorität hervor. So mußten wir in jeder fixierten Abirrung vom normalen Geschlechtsleben ein Stück Entwicklungshemmung und Infantilismus erblicken. Die Bedeutung der Variationen der ursprünglichen Anlage mußten wir in den Vordergund stellen, zwischen ihnen und den Einflüssen des Lebens aber ein Verhältnis von Kooperation und nicht von Gegensätzlichkeit annehmen. Anderseits erschien uns, da die ursprüngliche Anlage eine komplexe sein mußte, der Geschlechtstrieb selbst als etwas aus vielen Faktoren Zusammengesetztes, das in den Perversionen gleichsam in seine Komponenten zerfällt. Somit erwiesen sich die Perversionen einerseits als Hemmungen, andererseits als

Dissoziationen der normalen Entwicklung. Beide Auffassungen vereinigten sich in der Annahme, daß der Geschlechtstrieb des Erwachsenen durch die Zusammenfassung vielfacher Regungen des Kinderlebens zu einer Einheit, einer Strebung mit einem einzigen Ziel entstehe.

Wir fügten noch die Aufklärung für das Überwiegen der perversen Neigungen bei den Psychoneurotikern bei, indem wir dieses als kollaterale Füllung von Nebenbahnen bei Verlegung des Hauptstrombettes durch die »Verdrängung« erkannten, und wandten uns dann der Betrachtung des Sexuallebens im Kindesalter zu. [1] Wir fanden es bedauerlich, daß man dem Kindesalter den Sexualtrieb abgesprochen und die nicht selten zu beobachtenden Sexualäußerungen des Kindes als regelwidrige Vorkommnisse beschrieben hat. Es schien uns vielmehr, daß das Kind Keime von Sexualtätigkeit mit zur Welt bringt und schon bei der Nahrungsaufnahme sexuelle Befriedigung mitgenießt, die es sich dann in der gut gekannten Tätigkeit des »Ludelns« immer wieder zu verschaffen sucht. Die Sexualbetätigung des Kindes entwickle sich aber nicht im gleichen Schritt wie seine sonstigen Funktionen, sondern trete nach einer kurzen Blüteperiode vom zweiten bis zum fünften Jahre in die sogenannte Latenzperiode ein. In derselben würde die Produktion sexueller Erregung keineswegs eingestellt, sondern halte an und liefere einen Vorrat von Energie, der großenteils zu anderen als sexuellen Zwecken verwendet werde, nämlich einerseits zur Abgabe der sexuellen Komponenten für soziale Gefühle, anderseits (vermittels Verdrängung und Reaktionsbildung) zum Aufbau der späteren Sexualschranken. Demnach würden die Mächte, die dazu bestimmt sind, den Sexualtrieb in gewissen Bahnen zu erhalten, im Kindesalter auf Kosten der großenteils perversen Sexualregungen und unter Mithilfe der Erziehung aufgebaut. Ein anderer Teil der infantilen

---

1 Dies gilt nicht nur für die in in der Neurose »negativ« auftretenden Perversionsneigungen, sondern ebenso für die positiven, eigentlich so benannten Perversionen. Diese letzteren sind also nicht bloß auf die Fixierung der infantilen Neigungen zurückzuführen, sondern auch auf die Regression zu denselben infolge der Verlegung anderer Bahnen der Sexualströmung. Darum sind auch die positiven Perversionen der psychoanalytischen Therapie zugänglich.

Sexualregungen entgehe diesen Verwendungen und könne sich als Sexualbetätigung äußern. Man könne dann erfahren, daß die Sexualerregung des Kindes aus vielerlei Quellen fließe. Vor allem entstehe Befriedigung durch die geeignete sensible Erregung sogenannter erogener Zonen, als welche wahrscheinlich jede Hautstelle und jedes Sinnesorgan, wahrscheinlich jedes Organ, fungieren könne, während gewisse ausgezeichnete erogene Zonen existieren, deren Erregung durch gewisse organische Vorrichtungen von Anfang an gesichert sei. Ferner entstehe sexuelle Erregung gleichsam als Nebenprodukt bei einer großen Reihe von Vorgängen im Organismus, sobald dieselben nur eine gewisse Intensität erreichen, ganz besonders bei allen stärkeren Gemütsbewegungen, seien sie auch peinlicher Natur. Die Erregungen aus all diesen Quellen setzten sich noch nicht zusammen, sondern verfolgten jede vereinzelt ihr Ziel, welches bloß der Gewinn einer gewissen Lust ist. Der Geschlechtstrieb sei also im Kindesalter *nicht zentriert* und zunächst objektlos, *autoerotisch*.

Noch während der Kinderjahre beginne die erogene Zone der Genitalien sich bemerkbar zu machen, entweder in der Art, daß sie wie jede andere erogene Zone auf geeignete sensible Reizung Befriedigung ergebe, oder indem auf nicht ganz verständliche Weise mit der Befriedigung von anderen Quellen her gleichzeitig eine Sexualerregung erzeugt werde, die zu der Genitalzone eine besondere Beziehung erhalte. Wir haben es bedauern müssen, daß eine genügende Aufklärung des Verhältnisses zwischen Sexualbefriedigung und Sexualerregung sowie zwischen der Tätigkeit der Genitalzone und der übrigen Quellen der Sexualität nicht zu erreichen war.

Durch das Studium der neurotischen Störungen haben wir gemerkt, daß sich im kindlichen Sexualleben von allem Anfang an Ansätze zu einer Organisation der sexuellen Triebkomponenten erkennen lassen. In einer ersten, sehr frühen Phase steht die *Oral*erotik im Vordergrunde; eine zweite dieser »prägenitalen« Organisationen wird durch die Vorherrschaft des *Sadismus* und der *Anal*erotik charakterisiert, erst in einer dritten Phase (die sich beim Kind nur bis zum Primat des Phallus entwickelt) wird das Sexualleben durch den Anteil der eigentlichen Genitalzonen mitbestimmt.

Wir haben dann als eine der überraschendsten Ermittlungen feststellen müssen, daß diese Frühblüte des infantilen Sexuallebens (zwei bis fünf Jahre) auch eine Objektwahl mit all den reichen, seelischen Leistungen zeitigt, so daß die daran geknüpfte, ihr entsprechende Phase trotz der mangelnden Zusammenfassung der einzelnen Triebkomponenten und der Unsicherheit des Sexualzieles als bedeutsamer Vorläufer der späteren endgültigen Sexualorganisation einzuschätzen ist.

Die Tatsache des *zweizeitigen Ansatzes* der Sexualentwicklung beim Menschen, also die Unterbrechung dieser Entwicklung durch die Latenzzeit, erschien uns besonderer Beachtung würdig. Sie scheint eine der Bedingungen für die Eignung des Menschen zur Entwicklung einer höheren Kultur, aber auch für seine Neigung zur Neurose zu enthalten. Bei der tierischen Verwandtschaft des Menschen ist unseres Wissens etwas Analoges nicht nachweisbar. Die Ableitung der Herkunft dieser menschlichen Eigenschaft müßte man in der Urgeschichte der Menschenart suchen.

Welches Maß von sexuellen Betätigungen im Kindesalter noch als normal, der weiteren Entwicklung nicht abträglich, bezeichnet werden darf, konnten wir nicht sagen. Der Charakter der Sexualäußerungen erwies sich als vorwiegend masturbatorisch. Wir stellten ferner durch Erfahrungen fest, daß die äußeren Einflüsse der Verführung vorzeitige Durchbrüche der Latenzzeit bis zur Aufhebung derselben hervorrufen können und daß sich dabei der Geschlechtstrieb des Kindes in der Tat als polymorph pervers bewährt; ferner, daß jede solche frühzeitige Sexualtätigkeit die Erziehbarkeit des Kindes beeinträchtigt.

Trotz der Lückenhaftigkeit unserer Einsichten in das infantile Sexualleben mußten wir dann den Versuch machen, die durch das Auftreten der Pubertät gesetzten Veränderungen desselben zu studieren. Wir griffen zwei derselben als die maßgebenden heraus, die Unterordnung aller sonstigen Ursprünge der Sexualerregung unter das Primat der Genitalzonen und den Prozeß der Objektfindung. Beide sind im Kinderleben bereits vorgebildet. Die erstere vollzieht sich durch den Mechanismus der Ausnützung der Vorlust, wobei die sonst selbständigen sexuellen Akte, die mit Lust und Erregung verbunden sind, zu vorbereitenden Akten für das neue Sexualziel, die Entleerung der Geschlechtsprodukte, werden, dessen Erreichung unter riesiger Lust der Sexualerregung ein Ende macht. Wir hatten dabei die Differenzierung des geschlechtlichen Wesens zu Mann und Weib zu berücksichtigen und fanden, daß zum Weibwerden eine neuerliche Verdrängung erforderlich ist, welche ein Stück infantiler Männlichkeit aufhebt und das Weib für den Wechsel der leitenden Genitalzone vorbereitet. Die Objektwahl endlich fanden wir geleitet durch die infantilen, zur Pubertät aufgefrischten Andeutungen sexueller Neigung des Kindes zu seinen Eltern und Pflegepersonen und durch die mittlerweile aufgerichtete Inzestschranke von diesen Personen weg auf ihnen ähnliche gelenkt. Fügen wir endlich noch hinzu, daß während der Übergangszeit der Pubertät die somatischen und die psychischen Entwicklungsvorgänge eine Weile unverknüpft nebeneinander hergehen, bis mit dem Durchbruch einer intensiven seelischen Liebesregung zur Innervation der Genitalien die normalerweise erforderte Einheit der Liebesfunktion hergestellt wird.

Entwicklungs-störende Momente Jeder Schritt auf diesem langen Entwicklungswege kann zur Fixierungsstelle, jede Fuge dieser verwickelten Zusammensetzung zum Anlaß der Dissoziation des Geschlechtstriebes werden, wie wir bereits an verschiedenen Beispielen erörtert haben. Es erübrigt uns noch, eine Übersicht der verschiedenen, die Entwicklung störenden inneren und äußeren Momente zu geben und beizufügen, an welcher Stelle des Mechanismus die von ihnen ausgehende Störung angreift. Was wir da in einer Reihe anführen, kann freilich unter sich nicht gleichwertig sein, und wir müssen auf Schwierigkeiten rechnen, den einzelnen Momenten die ihnen gebührende Abschätzung zuzuteilen.

Konstitution und Heredität An erster Stelle ist hier die angeborene *Verschiedenheit der sexuellen Konstitution* zu nennen, auf die wahrscheinlich das Hauptgewicht entfällt, die aber, wie begreiflich, nur aus ihren späteren Äußerungen und dann nicht immer mit großer Sicherheit zu erschließen ist. Wir stellen uns unter ihr ein Überwiegen dieser oder jener der mannigfachen Quellen der Sexualerregung vor und glauben, daß solche Verschiedenheit der Anlagen in dem Endergebnis jedenfalls zum Ausdruck kommen muß, auch wenn dies sich innerhalb der Grenzen des Normalen zu halten vermag. Gewiß sind auch solche Variationen der ursprünglichen Anlage denkbar, welche notwendigerweise und ohne weitere Mithilfe zur Ausbildung eines abnormen Sexuallebens führen müssen. Man kann dieselben dann »degenerative« heißen und als Ausdruck ererbter Verschlechterung betrachten. Ich habe in diesem Zusammenhange eine merkwürdige Tatsache zu berichten. Bei mehr als der Hälfte meiner psychotherapeutisch behandelten schweren Fälle von Hysterie, Zwangsneurose usw. ist mir der Nachweis der vor der Ehe überstandenen Syphilis der Väter sicher gelungen, sei es, daß diese an Tabes oder progressiver Paralyse gelitten hatten, sei es, daß deren luetische Erkrankung sich anderswie anamnestisch feststellen ließ. Ich bemerke ausdrücklich, daß die später neurotischen Kinder keine körperlichen Zeichen von hereditärer Lues an sich trugen, so daß eben die abnorme sexuelle Konstitution als der letzte Ausläufer der luetischen Erbschaft zu betrachten war. So fern es mir nun liegt, die Abkunft von syphilitischen Eltern als regelmäßige oder unentbehrliche ätiologische Bedingung der neuropathischen Konstitution hinzustellen, so halte ich doch das von mir beobachtete Zusammentreffen für nicht zufällig und nicht bedeutungslos.

Die hereditären Verhältnisse der positiv Perversen sind minder gut bekannt, weil dieselben sich der Erkundung zu entziehen wissen. Doch hat man Grund anzunehmen, daß bei den Perversionen ähnliches wie bei den Neurosen gilt. Nicht selten findet man nämlich Perversion und Psychoneurose in denselben Familien auf die verschiedenen Geschlechter so verteilt, daß die männlichen Mitglieder oder eines derselben positiv pervers, die weiblichen aber der Verdrängungsneigung ihres Geschlechts entsprechend negativ pervers, hysterisch sind, ein guter Beleg für die von uns gefundenen Wesensbeziehungen zwischen den beiden Störungen.

Man kann indes den Standpunkt nicht vertreten, als ob mit dem Ansatz der verschiedenen Komponenten in der sexuellen Konstitution die Entscheidung über die Gestaltung des Sexuallebens eindeutig bestimmt wäre. Die Bedingtheit setzt sich vielmehr fort, und weitere Möglichkeiten ergeben sich je nach dem Schicksal, welches die aus den einzelnen Quellen stammenden Sexualitätszuflüsse erfahren. Diese *weitere Verarbeitung* ist offenbar das endgültig Entscheidende, während die der Beschreibung nach gleiche Konstitution zu drei verschiedenen Endausgängen führen kann. Wenn sich alle die

Weitere Verarbeitung

Anlagen in ihrem als abnorm angenommenen relativen Verhältnis erhalten und mit der Reifung verstärken, so kann nur ein perverses Sexualleben das Endergebnis sein. Die Analyse solcher abnormer konstitutioneller Anlagen ist noch nicht ordentlich in Angriff genommen worden, doch kennen wir bereits Fälle, die in solchen Annahmen mit Leichtigkeit ihre Erklärung finden. Die Autoren meinen zum Beispiel von einer ganzen Reihe von Fixationsperversionen, dieselben hätten eine angeborene Schwäche des Sexualtriebes zur notwendigen Voraussetzung. In dieser Form scheint mir die Aufstellung unhaltbar; sie wird aber sinnreich, wenn eine konstitutionelle Schwäche des einen Faktors des Sexualtriebes, der genitalen Zone, gemeint ist, welche Zone späterhin die Zusammenfassung der einzelnen Sexualbetätigungen zum Ziel der Fortpflanzung als Funktion übernimmt. Diese in der Pubertät geforderte Zusammenfassung muß dann mißlingen, und die stärkste der anderen Sexualitätskomponenten wird ihre Betätigung als Perversion durchsetzen.[1]

Verdrängung Ein anderer Ausgang ergibt sich, wenn im Laufe der Entwicklung einzelne der überstark angelegten Komponenten den Prozeß der *Verdrängung* erfahren, von dem man festhalten muß, daß er einer Aufhebung nicht gleichkommt. Die betreffenden Erregungen werden dabei wie sonst erzeugt, aber durch psychische Verhinderung von der Erreichung ihres Zieles abgehalten und auf mannigfache andere Wege gedrängt, bis sie sich als Symptome zum Ausdruck gebracht haben. Das Ergebnis kann ein annähernd normales Sexualleben sein – meist ein eingeschränktes –, aber ergänzt durch psychoneurotische Krankheit. Gerade diese Fälle sind uns durch die psychoanalytische Erforschung Neurotischer gut bekannt geworden. Das Sexualleben solcher Personen hat wie das der Perversen begonnen, ein ganzes Stück ihrer Kindheit ist mit perverser Sexualtätigkeit ausgefüllt, die sich gelegentlich weit über die Reifezeit erstreckt; dann erfolgt aus inneren Ursachen – meist noch vor der

---

1 Man sieht dabei häufig, daß in der Pubertätszeit zunächst eine normale Sexualströmung einsetzt, welche aber infolge ihrer inneren Schwäche vor den ersten äußeren Hindernissen zusammenbricht und dann von der Regression auf die perverse Fixierung abgelöst wird.

Pubertät, aber hie und da sogar spät nachher – ein Verdrängungs-
umschlag, und von nun an tritt, ohne daß die alten Regungen erlöschen, Neurose an die Stelle der Perversion. Man wird an das
Sprichwort »Junge Hure, alte Betschwester« erinnert, nur daß die
Jugend hier allzu kurz ausgefallen ist. Diese Ablösung der Perversion durch die Neurose im Leben derselben Person muß man
ebenso wie die vorhin angeführte Verteilung von Perversion und
Neurose auf verschiedene Personen derselben Familie mit der Einsicht, daß die Neurose das Negativ der Perversion ist, zusammen-
halten.

Der dritte Ausgang bei abnormer konstitutioneller Anlage wird
durch den Prozeß der »*Sublimierung*« ermöglicht, bei welchem den
überstarken Erregungen aus einzelnen Sexualitätsquellen Abfluß
und Verwendung auf andere Gebiete eröffnet wird, so daß eine nicht
unerhebliche Steigerung der psychischen Leistungsfähigkeit aus der
an sich gefährlichen Veranlagung resultiert. Eine der Quellen der
Kunstbetätigung ist hier zu finden, und je nachdem solche Sublimierung eine vollständige oder unvollständige ist, wird die Charak-
teranalyse hochbegabter, insbesondere künstlerisch veranlagter
Personen jedes Mengungsverhältnis zwischen Leistungsfähigkeit,
Perversion und Neurose ergeben. Eine Unterart der Sublimierung
ist wohl die Unterdrückung durch *Reaktionsbildung*, die, wie wir
gefunden haben, bereits in der Latenzzeit des Kindes beginnt, um
sich im günstigen Falle durchs ganze Leben fortzusetzen. Was wir
den »Charakter« eines Menschen heißen, ist zum guten Teil mit dem
Material sexueller Erregungen aufgebaut und setzt sich aus seit der
Kindheit fixierten Trieben, aus durch Sublimierung gewonnenen
und aus solchen Konstruktionen zusammen, die zur wirksamen
Niederhaltung perverser, als unverwendbar erkannter Regungen
bestimmt sind.[1] Somit kann die allgemein perverse Sexualanlage der
Kindheit als die Quelle einer Reihe unserer Tugenden geschätzt

**Sublimie-
rung**

---

1 Bei einigen Charakterzügen ist selbst ein Zusammenhang mit bestimmten erogenen Komponenten erkannt worden. So leiten sich Trotz, Sparsamkeit und
Ordentlichkeit aus der Verwendung der Analerotik ab. Der Ehrgeiz wird
durch eine starke urethralerotische Anlage bestimmt.

werden, insofern sie durch Reaktionsbildung zur Schaffung derselben Anstoß gibt.[1]

Akzidentell Erlebtes

Gegenüber den Sexualentbindungen, Verdrängungsschüben und Sublimierungen, letztere beide Vorgänge, deren innere Bedingungen uns völlig unbekannt sind, treten alle anderen Einflüsse weit an Bedeutung zurück. Wer Verdrängungen und Sublimierungen mit zur konstitutionellen Anlage rechnet, als die Lebensäußerungen derselben betrachtet, der hat allerdings das Recht zu behaupten, daß die Endgestaltung des Sexuallebens vor allem das Ergebnis der angeborenen Konstitution ist. Indes wird kein Einsichtiger bestreiten, daß in solchem Zusammenwirken von Faktoren auch Raum für die modifizierenden Einflüsse des akzidentell in der Kindheit und späterhin Erlebten bleibt. Es ist nicht leicht, die Wirksamkeit der konstitutionellen und der akzidentellen Faktoren in ihrem Verhältnis zueinander abzuschätzen. In der Theorie neigt man immer zur Überschätzung der ersteren; die therapeutische Praxis hebt die Bedeutsamkeit der letzteren hervor. Man sollte auf keinen Fall vergessen, daß zwischen den beiden ein Verhältnis von Kooperation und nicht von Ausschließung besteht. Das konstitutionelle Moment muß auf Erlebnisse warten, die es zur Geltung bringen, das akzidentelle bedarf einer Anlehnung an die Konstitution, um zur Wirkung zu kommen. Man kann sich für die Mehrzahl der Fälle eine sogenannte »Ergänzungsreihe« vorstellen, in welcher die fallenden Intensitäten des einen Faktors durch die steigenden des anderen ausgeglichen werden, hat aber keinen Grund, die Existenz extremer Fälle an den Enden der Reihe zu leugnen.

Der psychoanalytischen Forschung entspricht es noch besser, wenn man den Erlebnissen der frühen Kindheit unter den akzidentellen Momenten eine Vorzugsstellung einräumt. Die eine ätiologische Reihe zerlegt sich dann in zwei, die man die *dispositionelle* und die

---

1 Ein Menschenkenner wie E. Zola schildert in »La Joie de vivre« ein Mädchen, das in heiterer Selbstentäußerung alles, was es besitzt und beanspruchen könnte, sein Vermögen und seine Lebenswünsche geliebten Personen ohne Entlohnung zum Opfer bringt. Die Kindheit dieses Mädchens ist von einem unersättlichen Zärtlichkeitsbedürfnis beherrscht, das sie bei einer Gelegenheit von Zurücksetzung gegen eine andere in Grausamkeit verfallen läßt.

definitive heißen kann. In der ersteren wirken Konstitution und akzidentelle Kindheitserlebnisse ebenso zusammen, wie in der zweiten Disposition und spätere traumatische Erlebnisse. Alle die Sexualentwicklung schädigenden Momente äußern ihre Wirkung in der Weise, daß sie eine *Regression*, eine Rückkehr zu einer früheren Entwicklungsphase hervorrufen.

Wir setzen hier unsere Aufgabe fort, die uns als einflußreich für die Sexualentwicklung bekannt gewordenen Momente aufzuzählen, sei es, daß diese wirksame Mächte oder bloß Äußerungen solcher darstellen.

Ein solches Moment ist die spontane sexuelle *Frühreife*, die wenigstens in der Ätiologie der Neurosen mit Sicherheit nachweisbar ist, wenngleich sie sowenig wie andere Momente für sich allein zur Verursachung hinreicht. Sie äußert sich in Durchbrechung, Verkürzung oder Aufhebung der infantilen Latenzzeit und wird zur Ursache von Störungen, indem sie Sexualäußerungen veranlaßt, die einerseits wegen des unfertigen Zustandes der Sexualhemmungen, andererseits infolge des unentwickelten Genitalsystems nur den Charakter von Perversionen an sich tragen können. Diese Perversionsneigungen mögen sich nun als solche erhalten oder nach eingetretenen Verdrängungen zu Triebkräften neurotischer Symptome werden; auf alle Fälle erschwert die sexuelle Frühreife die wünschenswerte spätere Beherrschung des Sexualtriebes durch die höheren seelischen Instanzen und steigert den zwangsartigen Charakter, den die psychischen Vertretungen des Triebes ohnedies in Anspruch nehmen. Die sexuelle Frühreife geht häufig vorzeitiger intellektueller Entwicklung parallel; als solche findet sie sich in der Kindheitsgeschichte der bedeutendsten und leistungsfähigsten Individuen; sie scheint dann nicht ebenso pathogen zu wirken, wie wenn sie isoliert auftritt.

Ebenso wie die Frühreife fordern andere Momente Berücksichtigung, die man als »*zeitliche*« mit der Frühreife zusammenfassen kann. Es scheint phylogenetisch festgelegt, in welcher Reihenfolge die einzelnen Triebregungen aktiviert werden und wie lange sie sich äußern können, bis sie dem Einfluß einer neu auftretenden Triebregung oder einer typischen Verdrängung unterliegen. Allein sowohl in dieser zeitlichen Aufeinanderfolge wie in der Zeitdauer derselben

Frühreife

Zeitliche
Momente

scheinen Variationen vorzukommen, die auf das Endergebnis einen bestimmenden Einfluß üben müssen. Es kann nicht gleichgültig sein, ob eine gewisse Strömung früher oder später auftritt als ihre Gegenströmung, denn die Wirkung einer Verdrängung ist nicht rückgängig zu machen: eine zeitliche Abweichung in der Zusammensetzung der Komponenten ergibt regelmäßig eine Änderung des Resultats. Andererseits nehmen besonders intensiv auftretende Triebregungen oft einen überraschend schnellen Ablauf, z. B. die heterosexuelle Bindung der später manifest Homosexuellen. Die am heftigsten einsetzenden Strebungen der Kinderjahre rechtfertigen nicht die Befürchtung, daß sie den Charakter des Erwachsenen dauernd beherrschen werden; man darf ebensowohl erwarten, daß sie verschwinden werden, um ihrem Gegenteil Platz zu machen. (Gestrenge Herren regieren nicht lange.) Worauf solche zeitliche Verwirrungen der Entwicklungsvorgänge rückführbar sind, vermögen wir auch nicht in Andeutungen anzugeben. Es eröffnet sich hier ein Ausblick auf eine tiefere Phalanx von biologischen, vielleicht auch historischen Problemen, denen wir uns noch nicht auf Kampfesweite angenähert haben.

Haftbar-
keit
Die Bedeutung aller frühzeitigen Sexualäußerungen wird durch einen psychischen Faktor unbekannter Herkunft gesteigert, den man derzeit freilich nur als eine psychologische Vorläufigkeit hinstellen kann. Ich meine die erhöhte *Haftbarkeit* oder *Fixierbarkeit* dieser Eindrücke des Sexuallebens, die man bei späteren Neurotikern wie bei Perversen zur Ergänzung des Tatbestandes hinzunehmen muß, da die gleichen vorzeitigen Sexualäußerungen bei anderen Personen sich nicht so tief einprägen können, daß sie zwangartig auf Wiederholung hinwirken und dem Sexualtrieb für alle Lebenszeit seine Wege vorzuschreiben vermögen. Vielleicht liegt ein Stück der Aufklärung für diese Haftbarkeit in einem anderen psychischen Moment, welches wir in der Verursachung der Neurosen nicht missen können, nämlich in dem Übergewicht, welches im Seelenleben den Erinnerungsspuren im Vergleich mit den rezenten Eindrücken zufällt. Dieses Moment ist offenbar von der intellektuellen Ausbildung abhängig und wächst mit der Höhe der persönlichen Kultur. Im Gegensatz hiezu ist der Wilde als das »unglückselige Kind des Augenblickes« charakterisiert

worden.[1] Wegen der gegensätzlichen Beziehung zwischen Kultur und freier Sexualitätsentwicklung, deren Folgen weit in die Gestaltung unseres Lebens verfolgt werden können, ist es auf niedrigerer Kultur- oder Gesellschaftsstufe so wenig, auf höherer so sehr fürs spätere Leben bedeutsam, wie das sexuelle Leben des Kindes verlaufen ist.

Die Begünstigung durch die eben erwähnten psychischen Momente kommt nun den akzidentell erlebten Anregungen der kindlichen Sexualität zugute. Die letzteren (Verführung durch andere Kinder oder Erwachsene in erster Linie) bringen das Material bei, welches mit Hilfe der ersteren zur dauernden Störung fixiert werden kann. Ein guter Teil der später beobachteten Abweichungen vom normalen Sexualleben ist so bei Neurotikern wie bei Perversen durch die Eindrücke der angeblich sexualfreien Kindheitsperiode von Anfang an festgelegt. In die Verursachung teilen sich das Entgegenkommen der Konstitution, die Frühreife, die Eigenschaft der erhöhten Haftbarkeit und die zufällige Anregung des Sexualtriebes durch fremden Einfluß. **Fixierung**

Der unbefriedigende Schluß aber, der sich aus diesen Untersuchungen über die Störungen des Sexuallebens ergibt, geht dahin, daß wir von den biologischen Vorgängen, in denen das Wesen der Sexualität besteht, lange nicht genug wissen, um aus unseren vereinzelten Einsichten eine zum Verständnis des Normalen wie des Pathologischen genügende Theorie zu gestalten.

---

1 Möglicherweise ist die Erhöhung der Haftbarkeit auch der Erfolg einer besonders intensiven somatischen Sexualäußerung früherer Jahre.

ANHANG

Drei Abhandlungen zur Sexualtheorie

Erstveröffentlichung:
1905   Verlag Franz Deuticke, Leipzig und Wien. II + 87 Seiten.

Abdrucke in deutschen Werkausgaben:
1924   In: Sigmund Freud, *Gesammelte Schriften* (12 Bände), Internationaler
       Psychoanalytischer Verlag, Leipzig, Wien, Zürich 1924–34, Bd. 5,
       S. 1–119 (vermehrt, jedoch ohne das ›Vorwort zur zweiten Auflage‹).
1942   In: Sigmund Freud, *Gesammelte Werke* (18 Bände und ein Nachtrags-
       band), Imago Publishing Co., Ltd., London 1940–52, und S. Fischer
       Verlag, Frankfurt am Main 1968, 1987, Bd. 5, S. 27–145 (ohne das ›Vor-
       wort zur zweiten Auflage‹).
1972   In: Sigmund Freud, *Studienausgabe* (10 Bände und ein Ergänzungs-
       band), S. Fischer Verlag, Frankfurt am Main 1969–75, Bd. 5, S. 37,
       43–145 (mit dem ›Vorwort zur zweiten Auflage‹).
1987   Nur das ›Vorwort zur zweiten Auflage‹ in: Sigmund Freud, *Gesammelte
       Werke*, a.a.O., Nachtr., S. 739.

Der hier abgedruckte Freud-Text ist aus Band 5 und dem Nachtragsband der
Gesammelten Werke übernommen, wobei in Anlehnung an Band 5 der *Studienausgabe* stillschweigend einige Korrekturen vorgenommen wurden. Diese beziehen sich insbesondere auf Druckfehler, bibliographische Irrtümer, Schreib-
weise von Namen, Modernisierung von Orthographie und Interpunktion. Re-
daktionelle Zusätze stehen jeweils in eckigen Klammern.

SIGMUND FREUD
WERKE IM TASCHENBUCH

Herausgegeben von Ilse Grubrich-Simitis
Redigiert von Ingeborg Meyer-Palmedo

Die Sammlung präsentiert das Lebenswerk des Begründers der Psychoanalyse breiten Leserschichten. Sie löst sukzessive die früheren Taschenbuchausgaben der Schriften Sigmund Freuds ab. Durch großzügigere Ausstattung eignet sie sich besonders zum Gebrauch in Schule und Universität. Zeitgenössische Wissenschaftler haben Begleittexte verfaßt; sie stellen Verbindungen zur neueren Forschung her, gelangen zu einer differenzierten Neubewertung der Freudschen Œuvres und beschreiben dessen Fortwirkung in einem weiten Spektrum der intellektuellen Moderne.

In systematischer Gliederung umfaßt die Sammlung:
- vier Bände mit Einführungen in die Psychoanalyse;
- vier Bände mit Monographien über seelische Schlüsselphänomene wie Traum, Fehlleistung, Witz
- vier Bände mit Schriften über Sexualtheorie und über Metapsychologie;
- zwei Bände mit Schriften über Krankheitslehre und über Behandlungstechnik (erstmals als Taschenbuch-Einzelausgaben vorgelegt);
- fünf Bände mit Krankengeschichten;
- vier Bände mit kulturtheoretischen Schriften;
- drei Bände mit Schriften über Kunst und Künstler;
- zwei Bände mit voranalytischen Schriften (seit ihrer Erstveröffentlichung vor rund hundert Jahren erstmals wieder zugänglich gemacht).

EINFÜHRUNGEN:

Vorlesungen zur Einführung in die Psychoanalyse (Band 10432)
Biographisches Nachwort von Peter Gay

Neue Folge der Vorlesungen zur Einführung in die Psychoanalyse (Band 10433)
Biographisches Nachwort von Peter Gay

Abriß der Psychoanalyse (Band 10434)
Einführende Darstellungen
Einleitung von F.-W. Eickhoff
  Abriß der Psychoanalyse
  Über Psychoanalyse
  Das Interesse an der Psychoanalyse
  Eine Schwierigkeit der Psychoanalyse
  Die Frage der Laienanalyse (inkl. Nachwort)

»Selbstdarstellung« (Band 10434)
Schriften zur Geschichte der Psychoanalyse
Herausgegeben und eingeleitet von Ilse Grubrich-Simitis
  »Selbstdarstellung« (inkl. Nachschrift)
  Jugendbriefe an Emil Fluß
  Curriculum vitae
  Bericht über meine mit Universitäts-Jubiläums-Stipendium unter-
  nommene Studienreise nach Paris und Berlin
  Autobiographische Notiz
  Zur Geschichte der psychoanalytischen Bewegung
  Kurzer Abriß der Psychoanalyse
  Die Widerstände gegen die Psychoanalyse

ÜBER SCHLÜSSELPHÄNOMENE – TRAUM, FEHLLEISTUNG, WITZ:

Die Traumdeutung (Band 10436)
Nachwort von Hermann Beland

Schriften über Träume und Traumdeutungen (Band 10437)
Einleitung von Hermann Beland
  Eine erfüllte Traumahnung
  Über den Traum
  Träume im Folklore
  Ein Traum als Beweismittel
  Märchenstoffe in Träumen
  Traum und Telepathie
  Einige Nachträge zum Ganzen der Traumdeutung
  Brief an Maxime Leroy über einen Traum des Cartesius
  Meine Berührung mit Josef Popper-Lynkeus

Zur Psychopathologie des Alltagslebens (Band 10438)
(Über Vergessen, Versprechen, Vergreifen, Aberglaube und Irrtum)
Einleitung von Martin Löw-Beer
Im Anhang: Vorwort 1954 von Alexander Mitscherlich

147

Der Witz und seine Beziehung zum Unbewußten/Der Humor (Band 10439)
Einleitung von Peter Gay

SEXUALTHEORIE UND METAPSYCHOLOGIE:

Drei Abhandlungen zur Sexualtheorie (Band 10440)
Einleitung von Reimut Reiche

Schriften über Liebe und Sexualität (Band 10441)
Einleitung von Reimut Reiche
  Über Deckerinnerungen
  Zur sexuellen Aufklärung der Kinder
  Über infantile Sexualtheorien
  Der Familienroman der Neurotiker
  Beiträge zur Psychologie des Liebeslebens
  Zwei Kinderlügen
  Über Triebumsetzungen, insbesondere der Analerotik
  Die infantile Genitalorganisation
  Der Untergang des Ödipuskomplexes
  Einige psychische Folgen des anatomischen Geschlechtsunterschieds
  Über libidinöse Typen
  Über die weibliche Sexualität

Das Ich und das Es (Band 10442)
Metapsychologische Schriften
Einleitung von Alex Holder
  Formulierungen über die zwei Prinzipien des psychischen Geschehens
  Einige Bemerkungen über den Begriff des Unbewußten in der Psychoanalyse
  Zur Einführung des Narzißmus
  Triebe und Triebschicksale
  Die Verdrängung
  Das Unbewußte
  Metapsychologische Ergänzung zur Traumlehre
  Trauer und Melancholie
  Jenseits des Lustprinzips
  Das Ich und das Es
  Das ökonomische Problem des Masochismus
  Notiz über den »Wunderblock«
  Die Verneinung
  Fetischismus
  Die Ichspaltung im Abwehrvorgang

Hemmung, Symptom und Angst (Band 10443)
Einleitung von F.-W. Eickhoff

KRANKHEITSLEHRE UND BEHANDLUNGSTECHNIK:

Schriften zur Krankheitslehre der Psychoanalyse (Band 10444)
Einleitung von Clemens de Boor
  Über die Berechtigung, von der Neurasthenie einen bestimmten Symptomen-
  komplex als »Angstneurose« abzutrennen
  Zur Ätiologie der Hysterie
  Die Sexualität in der Ätiologie der Neurosen
  Meine Ansichten über die Rolle der Sexualität in der Ätiologie der Neurosen
  Hysterische Phantasien und ihre Beziehung zur Bisexualität
  Charakter und Analerotik
  Allgemeines über den hysterischen Anfall
  Die psychogene Sehstörung in psychoanalytischer Auffassung
  Über neurotische Erkrankungstypen
  Die Disposition zur Zwangsneurose
  Mitteilung eines der psychoanalytischen Theorie widersprechenden Falles
  von Paranoia
  »Ein Kind wird geschlagen« (Beitrag zur Kenntnis der Entstehung sexueller
  Perversionen)
  Über die Psychogenese eines Falles von weiblicher Homosexualität
  Über einige neurotische Mechanismen bei Eifersucht, Paranoia und Homo-
  sexualität
  Neurose und Psychose
  Der Realitätsverlust bei Neurose und Psychose

Zur Dynamik der Übertragung (Band 10445)
Behandlungstechnische Schriften
Einleitung von Hermann Argelander
  Die Handhabung der Traumdeutung in der Psychoanalyse
  Zur Dynamik der Übertragung
  Ratschläge für den Arzt bei der psychoanalytischen Behandlung
  Zur Einleitung der Behandlung
  Erinnern, Wiederholen und Durcharbeiten
  Bemerkungen über die Übertragungsliebe
  Die endliche und die unendliche Analyse
  Konstruktionen in der Analyse

KRANKENGESCHICHTEN:

Studien über Hysterie (zusammen mit Josef Breuer) (Band 10446)
Einleitung von Stavros Mentzos

Bruchstück einer Hysterie-Analyse (Band 10447)
Nachwort von Stavros Mentzos

Analyse der Phobie eines fünfjährigen Knaben (Band 10448)
(inkl. Nachschrift)
Einleitung von Veronica Mächtlinger
Im Anhang: Vorwort 1979 von Anna Freud

Zwei Krankengeschichten (Band 10449)
Einleitung von Carl Nedelmann
  Bemerkungen über einen Fall von Zwangsneurose
  Aus der Geschichte einer infantilen Neurose

Zwei Fallberichte (Band 10450)
Einleitung von Mario Erdheim
  Psychoanalytische Bemerkungen über einen autobiographisch beschriebenen
  Fall von Paranoia (inkl. Nachtrag)
  Eine Teufelsneurose im siebzehnten Jahrhundert

KULTURTHEORETISCHE SCHRIFTEN:

Totem und Tabu (Band 10451)
Einige Übereinstimmungen im Seelenleben der Wilden und
der Neurotiker
Einleitung von Mario Erdheim

Massenpsychologie und Ich-Analyse / Die Zukunft einer Illusion (Band 10452)
Einleitung von Reimut Reiche

Das Unbehagen in der Kultur (Band 10453)
Und andere kulturtheoretische Schriften
Einleitung von Alfred Lorenzer und Bernard Görlich
  Das Unbehagen in der Kultur
  Die »kulturelle« Sexualmoral und die moderne Nervosität
  Zeitgemäßes über Krieg und Tod
  Warum Krieg?

Der Mann Moses und die monotheistische Religion (Band 10454)
Und andere religionspsychologische Schriften
Herausgegeben und eingeleitet von Ilse Grubrich-Simitis
  Der Mann Moses und die monotheistische Religion
  Zwangshandlungen und Religionsübungen
  Vorrede zu ›Probleme der Religionspsychologie‹ von Theodor Reik
  Zur Gewinnung des Feuers

Sigmund Freud
als Briefschreiber und Diskussionspartner

Sigmund Freud
Brautbriefe
Briefe an Martha Bernays aus den Jahren 1882 bis 1886
Ausgewählt, herausgegeben und mit einem Vorwort versehen
von Ernst L. Freud
Fischer Taschenbuch Band 6733

Sigmund Freud / Georg Groddeck
Briefe über das Es
Herausgegeben von Margaretha Honegger
Fischer Taschenbuch Band 6790

Sigmund Freud / C. G. Jung
Briefwechsel
Herausgegeben von William McGuire
und Wolfgang Sauerländer
Gekürzt von Alan McGlashan
Fischer Taschenbuch Band 6775

Sigmund Freud / Arnold Zweig
Briefwechsel
Herausgegeben von Ernst L. Freud
Fischer Taschenbuch Band 5629

Freud im Gespräch mit seinen Mitarbeitern
Aus den Protokollen
der Wiener Psychoanalytischen Vereinigung
Herausgegeben, eingeleitet und mit Zwischentexten
versehen von Ernst Federn
Fischer Taschenbuch Band 6774

Fischer Taschenbuch Verlag

Sigmund Freud / Ernest Jones
Briefwechsel 1908 - 1939
Ungekürzte Ausgabe

Zwei Bände im Schuber:

Band I: *The Complete Correspondence of
Sigmund Freud and Ernest Jones 1908-1939*
Herausgegeben von R. Andrew Paskauskas
Einleitung von Riccardo Steiner. Harvard University Press
Leinen. 836 Seiten + 50 Seiten Einleitung

Band II:
Briefwechsel Sigmund Freud/Ernest Jones 1908-1939
Originalwortlaut der in Deutsch verfaßten Briefe Freuds.
Transkription und editorische Bearbeitung von
Ingeborg Meyer-Palmedo. S. Fischer
Broschur. 109 Seiten. Mit einem Faksimile

Diese mehr als drei Jahrzehnte umspannende Korrespondenz
gehört zu den großen Freud-Briefwechseln. Der Waliser Ernest
Jones, später berühmter Freud-Biograph, zählte zum engsten
Kreis um den Begründer der Psychoanalyse. Die Ausbreitung
der Freudschen Lehre im angloamerikanischen Bereich vollzog
sich unter seiner strategischen Regie. Doch ist im Briefwechsel
keineswegs nur von Organisatorischem die Rede. Er enthält eine
Fülle grundlegender theoretischer Diskussionen, z.B. über die
weibliche Sexualität und die Todestriebhypothese, ferner faszinierende Portraits jener bunten Gestalten der intellektuellen
psychoanalytischen Avantgarde sowie Kommentare zu den
politischen Umbrüchen des Zeitalters – eine kulturgeschicht-
liche Quelle ersten Ranges.
Ein Großteil der Briefe wurde in englischer Sprache verfaßt,
auch von Freud. Um diesen Originalwortlaut zu bewahren,
hat der S. Fischer Verlag, als Band I, die englischsprachige Edition übernommen; er vertreibt sie exklusiv auf dem deutsch-
sprachigen Buchmarkt. In einem zusätzlichen Band II wurde
der Originaltext jener Briefe und Karten hinzugefügt, welche
Freud in deutscher Sprache verfaßte.

S. Fischer

Sigmund Freud
Briefe an Wilhelm Fließ 1887–1904
Ungekürzte Ausgabe

Herausgegeben von Jeffrey Moussaieff Masson
Bearbeitung der deutschen Fassung von Michael Schröter
Transkription von Gerhard Fichtner
Leinen. Mit zahlreichen Abbildungen und Faksimiles
XXXII + 613 Seiten

*»Ganz ohne Publikum kann ich nicht schreiben, kann mir aber ganz
gut gefallen lassen, daß ich es nur für Dich schreibe.« (18. Mai 1898)*

Sigmund Freuds Briefe an seinen nahen Freund Wilhelm Fließ, den
Berliner Hals-Nasen-Ohrenarzt und Biologen, hier erstmals ohne
Kürzung veröffentlicht, sind das bewegende tagebuchartige Protokoll
der tiefen wissenschaftlichen und persönlichen Krise, aus der Freud,
von der akademischen Welt isoliert, in den neunziger Jahren des
vergangenen Jahrhunderts das Paradigma der Psychoanalyse entwik-
kelte. Der Leser kann gleichsam die Geburt eines Ideensystems
miterleben, welches wie kaum ein zweites das Denken unserer Zeit
geprägt, das Wissen des Menschen über sich selbst von Grund aus
revolutioniert hat.

Der grundlegende »Entwurf einer Psychologie« von 1895, der in der inzwischen vergriffenen Auswahl der Briefe, *Aus den Anfängen der Psychoanalyse*, mitabgedruckt war, ist in dem 1987 erschienenen Nachtragsband
zu Sigmund Freuds *Gesammelten Werken* wieder zugänglich gemacht
worden.

S. Fischer Verlag

Sigmund Freud
Jugendbriefe an Eduard Silberstein 1871–1881

Herausgegeben von Walter Boehlich
Mit Faksimiles, 15 Kunstdruck-Abbildungen und einem Anhang
(u.a. mit einem Gedichtentwurf Freuds, biographischen Notizen
über Eduard Silberstein von R. Vieyra, Briefregister, Namenregister)
Leinen, 280 Seiten

»Wir setzen in unseren Briefen die 6 prosaisch-ehernen Arbeitstage in das reine Gold der Poesie um und werden vielleicht finden, daß man in sich selbst und dem, was um uns bleibt und wechselt, Interessantes genug finden kann, wenn man nur darauf zu achten sich gewöhnt.«

Freud an Eduard Silberstein
am 4. September 1874

Die Briefe des Gymnasiasten und Studenten Sigmund Freud an seinen Jugendfreund Eduard Silberstein sind das einzige überlieferte umfangreiche Selbstzeugnis aus den prägenden frühen Bildungsjahren des Begründers der Psychoanalyse. Sie sind in ihrem Sprachzauber eine literarische Kostbarkeit. Zugleich dokumentieren sie eine typische jüdische Wiener Jugend im 19. Jahrhundert. Von Anfang an tragen diese Dokumente unverkennbar die Handschrift des großen intellektuellen Neuerers. Freuds Originalität tritt besonders schön hervor, wenn er aus dem Anschauen der ihn umgebenden Menschen – in zahllosen meisterlichen Miniaturen festgehalten –, vor allem aber aus rigoroser Selbstbeobachtung »Rezepte« für seine »kleine psychologische Hausapotheke« gewinnt und dabei jenes Wahrnehmungsinstrument schärft, welches später die systematische Entdeckung des Unbewußten ermöglicht und damit eine Revolution im Menschenbild des 20. Jahrhunderts bewirkt hat.

S. Fischer Verlag

fi 1064/2

Freud-Bibliographie mit Werkkonkordanz
Neuausgabe

Bearbeitet von
Ingeborg Meyer-Palmedo und Gerhard Fichtner
232 Seiten, kartoniert

Die *Freud-Bibliographie mit Werkkonkordanz* stellt eine grundlegend revidierte und erweiterte Neuausgabe der ursprünglich der Freud-*Studienausgabe* angegliederten *Sigmund Freud-Konkordanz und -Gesamtbibliographie* dar. Dieses kleine Buch hatte sich nach seiner Erstpublikation 1975 bald als unentbehrliches Hilfsmittel im In- und Ausland durchgesetzt.

Die jetzige Umgestaltung betrifft zum einen die Werkkonkordanz: In den detaillierten Seitenvergleich zum raschen Auffinden von Textpassagen in den drei am meisten verwendeten Freud-Editionen – den *Gesammelten Werken*, der *Studienausgabe* und der englischen *Standard Edition* – wurde der inzwischen veröffentlichte Nachtragsband zu den *Gesammelten Werken* integriert. Zum anderen erfuhr die Freud-Bibliographie eine durchgängige Überarbeitung und wesentliche Erweiterung, indem u.a. auch Teilpublikationen sowie Referate von fremder Hand mit einbezogen wurden. Ferner sind neben den Hinzufügungen von neu entdeckten und veröffentlichten Freud-Zeugnissen bis zur Gegenwart zahlreiche bisher nicht verzeichnete Arbeiten Freuds – Rezensionen, Lexikonartikel, Krankengeschichten, insbesondere aus Freuds voranalytischer Zeit – ergänzt worden. Als der nun umfangreichere Teil des Bandes wurde die Bibliographie an den Anfang gerückt, was auch die Titeländerung bestimmte. Dem alphabetischen Werkverzeichnis wurden noch ein allgemeiner Index der Namen, eine Liste der Briefempfänger sowie ein Schlagwortindex an die Seite gestellt

Die damit derzeit umfassendste Freud-Bibliographie wird durch die verdienstvollen jahrelangen Recherchen des Tübinger Medizinhistorikers Professor Gerhard Fichtner erheblich bereichert.

S. Fischer Verlag

fi 1065 / 2

Sigmund Freud Studienausgabe
in zehn Bänden mit Ergänzungsband
Revidierte Neuausgabe – in der ursprünglichen Ausstattung

Herausgegeben von
Alexander Mitscherlich · Angela Richards · James Strachey
Mitherausgeber des Ergänzungsbandes
Ilse Grubrich-Simitis

An der großen Freud-Rezeption der siebziger Jahre hatte die *Studienausgabe* einen bedeutenden Anteil. Als sie 1969–75 erstmals erschien, erhielt sie begeisterte Pressestimmen:

»Ein Freud für alle. Diese Ausgabe ist wirklich eine Tat.«
                                                  Kölner Stadtanzeiger

»... sorgfältig und hervorragend ediert.«   *Die Zeit*

Der umfangreiche kritische Apparat dieser ersten kommentierten deutschen Freud-Ausgabe umfaßt editorische Vorbemerkungen zu den einzelnen Schriften, zahlreiche Fußnoten sowie Anhänge. Die Vorbemerkungen und Fußnoten informieren u.a. über Entstehungszeit und -umstände des betreffenden Werks, über Textveränderungen, die Freud bei Neuauflagen einführte, sie erläutern die vielen literarischen und historischen Anspielungen, machen auf Parallelstellen aufmerksam, wenn Freud ein und dasselbe Thema in unterschiedlichen Zusammenhängen und in verschiedenen Perioden seines langen Forscherlebens behandelte, und regen den Leser durch ein Netz von Querverweisen zu weiterem Studium an. Der Anhang eines jeden Bandes ist mit Bibliographie, Abkürzungsliste, ausführlichem Namen- und Sachregister sowie einem Gesamtinhaltsplan der *Studienausgabe* ausgestattet.

Die *Studienausgabe* – zunächst im Rahmen der Buchreihe *Conditio humana; Ergebnisse aus den Wissenschaften vom Menschen* veröffentlicht – war vorübergehend nur in Taschenbuchform lieferbar. Jetzt wird sie auf vielfachen Wunsch wieder in der ursprünglichen Ausstattung vorgelegt. Gleichzeitig wurden die editorischen Begleittexte und die Bibliographien um Hinweise auf in der Zwischenzeit publizierte Freud-Neuerscheinungen ergänzt. Außerdem wurde das Querverweissystem der bei Erstpublikation nacheinander erschienenen Bände durch Angabe der konkreten Seitenzahlen vervollständigt, was den Gebrauch der *Studienausgabe* zusätzlich erleichtert.

S. Fischer Verlag

fi 81 / 2 a

Sigmund Freud Studienausgabe
in zehn Bänden mit Ergänzungsband
Revidierte Neuausgabe – in der ursprünglichen Ausstattung

Die Bände sind nach Themen geordnet, wodurch dem Leser eine rasche Orientierung im vielgestaltigen Werk Freuds ermöglicht wird. Innerhalb der Bände gilt das chronologische Gliederungsprinzip.

S. Fischer Verlag

Ilse Grubrich-Simitis
Zurück zu Freuds Texten
Stumme Dokumente sprechen machen

Der Band enthält Abbildungen und Faksimiles
Leinen. 399 Seiten

Das Buch bahnt einen in der Freud-Forschung noch nie ein-
geschlagenen Weg. Es eröffnet unmittelbaren Zugang zur terra
incognita der *Handschriften* Freuds und damit zum bisher verborgenen spannungsreichen Mikrokosmos seiner Kreativität.
Sozusagen diesseits von Sekundärliteratur bringt die Autorin,
Psychoanalytikerin und Freud-Editorin, die Dokumente selbst
zum Sprechen, darunter viele bisher unbekannte Originaltexte.
In einer neuartigen Form authentischer Werkstattanalyse erzählt
sie, wie der Begründer der Psychoanalyse als Wissenschaftler
und Schriftsteller *gearbeitet* hat. Es ist, als ob das Oeuvre, das ja
nicht nur einen Paradigmenwechsel in den Wissenschaften vom
Menschen bewirkt hat, sondern auch ein längst klassisches Ex-
empel großer Prosa verkörpert, seine komplizierte Entste-
hungsgeschichte selbst erzählte.

»Ilse Grubrich-Simitis hat ein vorzügliches Buch geschrieben...
Man hat das Gefühl, an einer Freudschen Analyse teilzuneh-
men.« (*Frankfurter Allgemeine Zeitung*)

»... ein brillantes Buch. ... Meisterhaft und atemberaubend
beteiligt die Autorin den Leser daran, wie Freud gearbeitet hat.
... eine tiefenscharfe Perspektive sowohl der Textentstehung
als auch der Ideengeschichte.« (*Frankfurter Rundschau*)

»Aus den handschriftlichen Juwelen Freuds hat uns Ilse Grubrich-Simitis mit ihrem Buch selbst ein Juwel geschenkt.«
(*Bulletin der Europäischen Psychoanalytischen Förderation*)

»... das bedeutendste Buch, das je über Freud als Schriftsteller geschrieben wurde.« (*Psychoanalytic Books*)

S. Fischer

fi 1025 / 3